CONVERSATIONS IN SOCIAL MEDIA SPANISH

Conversations, Comments, & Private Messages to Learn Authentic Social Media Spanish.

by Olly Richards

Edited by Eleonora Calviello

Olly Richards Publishing Ltd.

olly@storylearning.com

101 Conversations in Social Media Spanish: Conversations, Comments, & Private Messages to Learn Authentic Social Media Spanish

FREE STORYLEARNING® KIT

Discover how to learn foreign languages faster & more effectively through the power of story.

Your free video masterclasses, action guides & handy printouts include:

- A simple six-step process to maximise learning from reading in a foreign language
- How to double your memory for new vocabulary from stories
- Planning worksheet (printable) to learn faster by reading more consistently
- Listening skills masterclass: "How to effortlessly understand audio from stories"
- How to find willing native speakers to practise your language with

WE DESIGN OUR BOOKS TO BE INSTAGRAMMABLE!

Post a photo of your new book to Instagram using #storylearning and you'll get an entry into our monthly book giveaways!

Tag us **@storylearningpress** to make sure we see you!

BOOKS BY OLLY RICHARDS

Olly Richards writes books to help you learn languages through the power of story. Here is a list of all currently available titles:

Short Stories in Danish For Beginners

Short Stories in Dutch For Beginners

Short Stories in English For Beginners

Short Stories in French For Beginners

Short Stories in German For Beginners

Short Stories in Icelandic For Beginners

Short Stories in Italian For Beginners

Short Stories in Norwegian For Beginners

Short Stories in Brazilian Portuguese For Beginners

Short Stories in Russian For Beginners

Short Stories in Spanish For Beginners

Short Stories in Swedish For Beginners

Short Stories in Turkish For Beginners

Short Stories in Arabic for Intermediate Learners

Short Stories in English for Intermediate Learners

Short Stories in Italian for Intermediate Learners

Short Stories in Korean for Intermediate Learners

Short Stories in Spanish for Intermediate Learners

101 Conversations in Simple English

101 Conversations in Simple French

101 Conversations in Simple German

101 Conversations in Simple Italian

101 Conversations in Simple Spanish

101 Conversations in Simple Russian

101 Conversations in Intermediate English

101 Conversations in Intermediate French

101 Conversations in Intermediate German

101 Conversations in Intermediate Italian

101 Conversations in Intermediate Spanish

101 Conversations in Mexican Spanish

101 Conversations in Social Media Spanish

World War II in Simple Spanish

All titles are also available as audiobooks. Just search your favourite store!

For more information visit Olly's author page at:
www.storylearning.com/books

ABOUT THE AUTHOR

Olly Richards is a foreign language expert and teacher. He speaks eight languages and has authored over 30 books. He has appeared in international press, from the BBC and the Independent to El País and Gulf News. He has featured in language documentaries and authored language courses for the Open University.

Olly started learning his first foreign language at the age of 19, when he bought a one-way ticket to Paris. With no exposure to languages growing up, and no natural talent for languages, Olly had to figure out how to learn French from scratch. Twenty years later, Olly has studied languages from around the world and is considered an expert in the field.

Through his books and website, StoryLearning.com, Olly is known for teaching languages through the power of story – including the book you are holding in your hands right now!

You can find out more about Olly, including a library of free training, at his website:

www.storylearning.com

CONTENTS

INTRODUCTION

The biggest challenge faced by most language learners is making the leap from the textbook to the real world; the discovery that real people don't speak like your textbook can come as a bit of a shock! Now, in the age of the smartphone, there is a new challenge for language learners to contend with – social media! As you probably know from your native language, social media has a language all of its own – OMG! #mindblown 😁👍😎 – and, in Spanish, this can take some getting used to!

Although many abbreviations are the same as those used in English and will be easy to decipher, Spanish has also adapted to social media in its own way, with new expressions and slang to facilitate fast, fun, and expressive communication. This can make Spanish on social media difficult to understand for a learner trying their hand at online communication. However, social media can be a wonderful language learning tool – you can follow people and topics that you are interested in, read what real people are saying, and join in with conversations in Spanish wherever you are in the world. I wrote this book to help you access the wonderful world of social media in Spanish and reap the benefits of this wonderful communication style!

101 Conversations in Social Media Spanish helps you bridge the gap from the textbook to the real world and understand the real Spanish that is used on social media. The conversations in this book, therefore, are not limited to face-to-face interaction, but rather take place across the social media platforms you are already familiar with:

- Instagram
- WhatsApp
- Facebook Messenger
- Telegram

In other words, this book mimics authentic, real-life social media use!

In this brand-new book, you'll follow the exciting story of a group of young Spanish-speaking people, through 101 conversations taking place across different social media channels. You'll learn how Spanish changes when it moves online, including the most common phrases and slang that Spanish speakers use on social media. The conversations will give you an authentic experience of reading real Spanish in a format that is convenient and accessible for an intermediate learner (B1-B2 on the Common European Framework of Reference).

The extensive, story-based format of the book helps you get used to social media Spanish in a natural way, and the words and phrases you see will gradually emerge in your own online Spanish communication as you learn them naturally through your reading. The book is packed with engaging learning material including short dialogues that you can finish in one sitting, helpful English definitions of difficult words, scene-setting introductions to each chapter to help you follow along, and a story that will have you gripped until the end. These features allow you to learn and absorb new words and phrases, and then *activate* them so that, over time, you can remember and use them in your own online Spanish conversations. You'll never find another way to get so much practice with real social media Spanish!

Suitable for intermediate learners, *101 Conversations in Social Media Spanish* is the perfect complement to any Spanish course and will give you the ultimate head start for using Spanish confidently in the real world! If you have set your sights on becoming fluent on any social media platform, this book is the biggest step forward you will take in your Spanish this year.

If you're ready, let's get started!

HOW TO USE THIS BOOK

There are many possible ways to use a resource such as this, which is written entirely in Spanish. In this section, I would like to offer my suggestions for using this book effectively, based on my experience with thousands of students and their struggles.

There are two main ways to work with content in a foreign language:

1. Intensively
2. Extensively

Intensive learning is when you examine the material in great detail, seeking to understand all the content – the meaning of vocabulary, the use of grammar, the pronunciation of difficult words, etc. You will typically spend much longer with each section and, therefore, cover less material overall. Traditional classroom learning generally involves intensive learning.

Extensive learning is the opposite of intensive. To learn extensively is to treat the material for what it is – not as the object of language study, but rather as content to be enjoyed and appreciated. To read a book for pleasure is an example of extensive reading. As such, the aim is not to stop and study the language that you find, but rather to read (and complete) the book.

There are pros and cons to both modes of study and, indeed, you may use a combination of both in your approach. However, the "default mode" for most people is to study *intensively*. This is because there is the inevitable temptation to investigate anything you do not understand in the pursuit of progress and hope to eliminate all mistakes. Traditional language education trains us to do this. Similarly, it is not obvious to many readers how extensive study can be effective. The uncertainty and ambiguity can be uncomfortable: "There's so much I don't understand!"

In my experience, people have a tendency to drastically overestimate what they can learn from intensive study, and drastically underestimate what they can gain from extensive study. My observations are as follows:

- **Intensive learning**: Although it is intuitive to try to "learn" anything you don't understand, such as a new word, there is no guarantee you will actually manage to "learn" it! Indeed, you will be familiar with the feeling of trying to learn a new word only to forget it shortly afterwards! Studying intensively is also time-consuming, meaning you can't cover as much material.
- **Extensive learning**: By contrast, when you study extensively, you cover huge amounts of material and give yourself exposure to much more content in the language than you otherwise would. In my view, this is the primary benefit of extensive learning. Given the immense size of the task of learning a foreign language, extensive learning is the only way to give yourself the exposure to the language that you need in order to

stand a chance of acquiring it. You simply can't learn everything you need in the classroom!

When put like this, extensive learning may sound quite compelling! However, there is an obvious objection: "But how do I *learn* when I'm not looking up or memorising things?" This is an understandable doubt if you are used to a traditional approach to language study. However, the truth is that you can learn an extraordinary amount *passively* as you read and listen to the language, but only if you give yourself the opportunity to do so. Remember, you learned your mother tongue passively! There is no reason you shouldn't do the same with a second language.

Here are some of the characteristics of studying languages extensively:

Aim for completion When you read material in a foreign language, your first job is to make your way through it, from beginning to end. Read to the end of the chapter or listen to the entire audio without worrying about things you don't understand. Set your sights on the finish line and don't get distracted. This is a vital behaviour to foster because it trains you to enjoy the material before you start to get lost in the details. This is how you read or listen to things in your native language, so it's the perfect thing to aim for!

Read for gist The most effective way to make headway through any piece of content in another language is to ask yourself: "Can I follow the gist of what's going on?" You don't need to understand every word, just the main ideas. If you can, that's enough! You're set! You can understand

and enjoy a great amount through gist alone, so carry on with the material and enjoy the feeling of making progress! If the material is so hard that you struggle to understand even the gist, then my advice would be to consider easier material.

Don't look up words As tempting as it is to look up new words, doing so robs you of time that you could spend reading the material. In the extreme, you can spend so long looking up words that you never finish what you're reading. If you come across a word you don't understand... Don't worry! Keep calm and carry on. Focus on the goal of reaching the end of the chapter. You'll probably see that difficult word again soon, and you might guess the meaning in the meantime!

Don't analyse grammar As with new words, you'll never make any headway with the material if you stop to study verb tenses or verb conjugations as you go. Try to *notice* the grammar that's being used (make a mental note) and carry on. Have you spotted some unfamiliar grammar? No problem. It can wait. Unfamiliar grammar rarely prevents you from understanding the gist of a passage but can completely derail your reading if you insist on looking up and studying every grammar point you encounter. After a while, you'll be surprised by how this "difficult" grammar starts to become "normal"!

You don't understand? Don't worry! The feeling you often have when you are engaged in extensive learning is: "I don't understand." You may find an entire paragraph that you don't understand or that you find confusing. So, what's the best response? Spend the next hour trying to decode that difficult paragraph? Or continue reading regardless? (Hint: It's the latter!) When you read in your mother tongue, you will often skip entire paragraphs you find boring, so there's no need to feel guilty about doing the same when reading Spanish text. Skipping difficult passages may feel like cheating, but it can, in fact, be a mature approach to reading that allows you to make progress through the material and, ultimately, learn more.IIf you follow this mindset when you read Spanish, you will be training yourself to be a strong, independent Spanish learner who doesn't have to rely on a teacher or rule book to make progress and enjoy learning. As you will have noticed, this approach draws on the fact that your brain can learn many things naturally, without conscious study. This is something that we appear to have forgotten with the formalisation of the education system. But, speak to any accomplished language learner and they will confirm that their proficiency in languages comes not from their ability to memorise grammar rules, but from the time they spend reading, listening to, and speaking the language, enjoying the process, and integrating it into their lives.

So, I encourage you to embrace extensive learning and trust in your natural abilities to learn languages, starting with... The content of this book!

THE FIVE-STEP READING PROCESS

Here is my suggested five-step process for making the most of each conversation in this book:

1. Read the short introduction to the conversation. This is important, as it sets the context for the conversation, helping you understand what you are about to read. Take note of the characters who are speaking and the situation they are in: Is this conversation taking place face to face? Are people chatting on Instagram or WhatsApp? Is this a Facebook post with comments? If you need to refresh your memory of the characters, refer to the character introductions at the front of the book.

2. Read the conversation all the way through without stopping. Your aim is simply to reach the end of the conversation; so do not stop to look up words and do not worry if there are things you do not understand. Simply try to follow the gist of the conversation.

3. Go back and read the same conversation a second time. Remember that conversations on social media can be quite different from face-to-face interactions! Make sure to note any irregularities. You can read in more detail than before if you like, but the important thing is to simply read it through one more time, using the vocabulary list to check unknown words and phrases where necessary.

4. By this point, you should be able to follow the gist of the conversation. You might like to continue to read the same conversation a few more times until you feel confident. This is time well-spent and, with each repetition, you will gradually build your understanding of the content.

5. Move on! There is no need to understand every word in the conversation, and the greatest value to be derived from the book comes from reading it through to completion! Move on to the next conversation and do your best to enjoy the story at your own pace, just as you would any other book.

At every stage of the process, there will inevitably be words and phrases you do not understand or passages you find confusing. Instead of worrying about the things you *don't* understand, try to focus instead on everything that you *do* understand, and congratulate yourself for the hard work you are putting into improving your Spanish.

ATRAPADOS

(Trapped)

INTRODUCTION TO THE STORY

On a cold autumn evening, Lucía, her boyfriend Jordi, and five other friends meet at the doors of a place called "Escape 42", an escape room in the neighbourhood of Retiro in Madrid. They were invited there by Pedro, whose cousin owns the business. The friends quickly immortalise the occasion with a group selfie!

When they go in, they have to split into two groups of three people. Each group goes into one of the two escape rooms. Lucía and her boyfriend go in separately because they have just had an argument (Lucía found out that Jordi lied to her about spending the afternoon in the library). So, she goes in with her roommate, Marta, and another one of their friends, Xacobe. Jordi goes in with Sandra, Xacobe's sister, and Laura, the drama-queen of the group. Pedro decides to stay outside with his cousin since he has already solved the escape rooms many times.

Everything is going fine until the doors are closed. Then, from a small window in the door of his room, Jordi sees a hooded man walk into the place and threaten Lucas, Pedro's cousin, with a... water pistol?

At first, they think it's a joke, but then the man in the black hood reveals that the gun is not filled with water but with seafood broth. It turns out that Lucas, the shop's owner, is deadly allergic to seafood and could die if he were to swallow even a drop of that liquid. The hooded man takes Pedro and Lucas to the rooftop, and the six friends remain locked in the escape rooms. Unaware of what's going on and unable to communicate by talking, the two groups start to communicate through social media to help each other solve the clues and plan their escape.

Lucía, Jordi, and their friends need to solve a series of clues in order to get out and help Pedro and Lucas. They have no idea what the man is after. All they know is that something fishy is going on and they don't have much time to save their friends.

CHARACTER PROFILES

HABITACIÓN 1

Lucía Morente (@luciamorente)

Lucía went to the escape rooms because her boyfriend, Jordi, insisted after Pedro invited them. She didn't really feel like going, but she finally agreed.

She gets very serious when she is angry, but she also knows how to have fun. She has great aspirations, she is a natural leader, and she knows how to stay calm in stressful situations. She is studying to become a chef.

Marta Camilli (@mcamilli01)

Marta is Lucía's roommate and was invited to the escape rooms by Lucía and Jordi. She's quite the opposite of Lucía in many ways: Marta has no sense of leadership and does not know how to stay calm in stressful situations. However, she has good instincts and quick reflexes. She studies History at the Universidad Complutense de Madrid.

Xacobe (@xacovino)

He is the know-it-all guy in the class. He loves puzzles and logic games, even though he has never been in an escape room before.

HABITACIÓN 2

Jordi Sánchez (@jordisanchez)

Jordi is Lucía's boyfriend and has been studying at university for two years. He and Lucía have known each other since they were little. They are both from a town called Tarancón, not far from Madrid. He studies Industrial Design, with a focus on Furniture Design.

Sandra Lorenzetti (@sanlorenzetti123)

Sandra is Xacobe's twin sister. She is the only one who does not study at university; she works in a restaurant. She is smart like her brother but less intellectual. She is funny and straightforward.

Laura Paredes (@paredeslau)

Laura was Jordi and Pedro's classmate in high school. She is the typical spoiled girl who wants to be the centre of attention and creates drama whenever she can.

FUERA DE LAS HABITACIONES

Pedro (@pedropedrito)

Pedro is very intelligent, although he never knows how to use his intelligence in class. He is a practical joker, and he tends to go too far. He talks too much and is always trying to show how funny he is.

Lucas

Lucas is Pedro's cousin. He and his other associates own the escape rooms. He is somewhat immature for his age; he likes to play video games and is not a big fan of work, but business is going well.

A NOTE ON FORMATTING

Are you curious about the formatting of this book?

Take a close look and you'll see that the formatting of each chat closely mimics the design of the app the characters are using at the time.

We wanted to make the social media experience as authentic as possible, so... simply follow along as you would on your phone!

1. INSTAGRAM POST DE LUCIA

@luciamorente Hoy tenemos planeado un sábado a la noche… misterioso 🤔🔎. Nuestro amigo @pedropedrito nos ha invitado a vivir la experiencia de los "escape rooms", o "salas de escape". Como en una novela de misterio, deberemos resolver las pistas de la habitación, en equipo, para encontrar la salida. ¿Ya lo habéis hecho? ¡¡Es nuestra primera vez, deseadnos suerte!! Con @jordisanchez 💕, @ mcamilli01, @xacovino, @sanlorenzetti123 y @paredeslau. #escaperoom #escaperooms #salasdeescape #escape42 #sábado #amigos

@cristianfuchs 😍 ¡Qué guay! ¡¡La próxima vez quiero ir con vosotros!!

@luciamorente ¡¡Sí!! Hoy ya éramos demasiados… Pero la próxima te esperamos

@anabanana 😮😮😮 ¡Qué divertido!

@analauramorente ¿Hija, no tienes un examen el lunes? Pensé que ibas a estudiar este fin de semana, te envié un mensaje por Whatsapp…

@luciamorente 🙄🙄🙄

@lilita_may ¡¡ke guay!!

Vocabulario

la ubicación location
las pistas clues
como en as in
en equipo as a team
éramos demasiados we were too many

2. UNA EXPERIENCIA ÚNICA

Siete jóvenes están esperando en la puerta de un local de salas de escape en una noche de otoño. Son Lucía, su novio Jordi y cuatro amigos más. Hace frío y están esperando hace rato para poder entrar.

Lucía: Brrrr... Me congelo.

Jordi: ¿Quieres mi chaqueta, Lu?

Lucía: No, gracias.

Jordi: OK... ¿Qué haces?

Lucía: Leo los comentarios de la foto que acabo de subir a Instagram... Ya tiene treinta y nueve *likes*. Ufff... Mi madre ha comentado. ¡Qué pesada!

Jordi: ¡Ostras! Sí que hace frío. Oye, Pedro. ¿Qué dice tu primo? ¿Ya podemos entrar?

Pedro: Todavía no, amigo. Le acabo de enviar un mensaje. Dice que el grupo anterior está por salir, que tenemos que esperar unos cinco minutos más. Tranquilo...

Jordi: Espero que esto valga la pena...

Pedro: ¡Claro que sí! ¿Acaso no te he prometido una experiencia única? ¿Algo real? ¿Incomparable?

Jordi: Eso es lo que temo, Pedrito.

Vocabulario

hace rato for a while
congelarse to freeze
acabo de subir I've just uploaded
anterior previous
está por salir is about to go out
¡qué pesada! she's so annoying!
espero que esto valga la pena I hope this is worth it

3. WHATSAPP DE LUCIA

Lucía habla con su madre. El chat se titula "Mamá 😨😨😨".

Mamá:
Pensaba que tenías un examen el lunes. Recuerda que tu padre y yo no te pagamos un piso en Madrid para que salgas de fiesta. ¡¡Estás allí para estudiar!!

Lucía:
Sí, ma… ya estudié todo lo que tenía que estudiar para el examen. No es tan difícil, de todos modos. Es Seguridad e Higiene, el tema más fácil de toda la carrera. Te aseguro que lo haré bien.

Mamá:
Vale, como tú digas. ¿Y quiénes son todos esos de la foto? Además de tu novio, claro.

Lucía:
Mamá, lo digo en serio, si sigues usando mi Instagram para cuestionar todo sobre mi vida, voy a tener que bloquearte... Estamos en un sitio con Jordi, Marta y otros amigos que no conoces.

Mamá:
Son buena gente, ¿¿verdad?? Si te ofrecen drogas, tú di que no.

Lucía:
¡¡Mamá!! 🙄🙄🙄 ¡¡¡Nadie me está ofreciendo drogas!!! Yo se las vendo a ellos 🤑

Mamá:
Ja, ja. ¡Qué graciosa! ¿El piso está en orden? ¿Tenéis comida? No estáis viviendo a patatas fritas y Coca Cola, ¿verdad?

Lucía:
No, mamá, estamos comiendo bien y el piso está en orden. Tenemos todo organizado, nos distribuimos las tareas, fregamos y limpiamos todos los días.

Mamá:
Vale, muy bien.

Lucía:
Mamá, me tengo que ir, estamos por entrar… ¡Hablamos mañana!

Mamá:
¡¡No regreses a tu casa muy tarde!! Y dile a Jordi que duerma en su propio piso. Chau.

Vocabulario

para que salgas de fiesta for you to go out and party
de todos modos anyway
además de besides
si sigues usando if you keep using
estamos por entrar we are about to go in
propio own

4. WHATSAPP DE MARTA

Marta habla con su madre en Whatsapp. El chat se titula "Mami ☮".

Mamá:
¡¡Hija!! Vi una foto en el Instagram de Lucía... ¿estáis en una sala de escape? 😍😍

Marta:
¡¡¡Sí!!! Nos ha invitado Pedro, un amigo de Jordi. ¡¿A que es una buena idea?! Verdad?

Mamá:
Excelente, luego me cuentas qué tal. ¿Cómo va la universidad?

Marta:
Muy bien, tengo mis primeros exámenes la semana que viene... 🤯

Mamá:
Bueno, seguramente los harás bien... De todos modos, no olvides divertirte en el proceso. ¡¡Solo eres joven una vez!!

Marta:
Lo sé, lo sé.

Mamá:
¿Y en el piso todo bien? ¿Cómo va la convivencia con Lucía?

Marta:
¡Superbién! Por suerte, las dos somos tan desordenadas que nos llevamos bien...No sé ni dónde guardamos la escoba.

Mamá:
Ja, ja, ja, ja, ja. ¿Estáis cocinando?

Marta:
¡Nada! Es que justo enfrente del piso hay una tienda de kebabs...

Mamá:
¡Qué rico!

Marta:
Vale, mami, ¡¡me tengo que ir!! Estamos por entrar en la sala de escape...

Mamá:
¡¡¡Suerte!!! ¡¡Escapad antes de los exámenes!!

Marta:
Ja, ja, ja. Adiós, ¡te quiero!

Mamá:

Vocabulario

¿a que no es una buena idea?! it's a good idea, isn't it?
la semana que viene next week
la convivencia living together
nos llevamos bien we get along well
justo enfrente de right in front of

5. DOS MENTIRAS

Jordi está aburrido de esperar. A su lado, Marta y Lucía miran sus teléfonos. Su novia, entonces, guarda su teléfono en un bolsillo y se acerca a él. Tiene el ceño fruncido.

Jordi: ¿Qué pasa, amor?

Lucía: Mi madre... Es una pesada.

Marta: ¡Qué casualidad! Yo estoy hablando con la mía. Dice que ha visto la foto que has subido a Instagram. ¿No te molesta que mi mamá te siga en Insta?

Lucía: ¡Claro que no! Me molesta que *mi* madre me siga en Instagram... La tuya mola. ¿Y a ti quién te escribe, Jordi?

Jordi: ¿A mí? Nadie.

Lucía: Veo tu teléfono... Alguien te está escribiendo por Telegram.

Jordi: No, no es nada... no te preocupes.

Lucía: Esta es la segunda vez que me mientes en el día, Jordi.

Jordi: ¡¿Qué?! ¿Cómo...?

Vocabulario

las mentiras lies
acercarse to approach
el ceño fruncido frown
¡qué casualidad! what a coincidence!
seguir a alguien en Insta to follow someone on Instagram
claro que no of course not

6. FACEBOOK MESSENGER DE PEDRO

Facebook Messenger de Pedro con su primo, Luca, el proprietario de Escape 42.

Pedro:
Primo, ¡¡ostia!! Que hace frío aquí fuera… ¿ya tienes todo listo?

Lucas:
Sí, sí, ya está todo listo… Ya te dije, quince minutos. Solo estoy esperando que acaben los de este grupo… Son bastante lentos, están hace una hora intentando resolver la última pista. Luego necesito unos cinco minutos para dejar todo listo…

Pedro:
Vale, ayúdalos a ver si salen de una vez…

Lucas:
Paciencia. Así es mejor, generas más expectativas. ¿Tus amigos sospechan algo?

Pedro:
No tienen idea.

Lucas:
Oye, la rubia esa está muy linda. ¿Tiene novio? 😏

Pedro:
¿Laura? No, creo que no. De todos modos, no te la recomiendo, es una reina del drama… Ya sabes cómo son las actrices.

Lucas:
No tengo idea de cómo son las actrices, Pedrito… pero no me molestaría averiguarlo.

Pedro:
Primo, concéntrate en tu trabajo. Prometí a mis amigos una experiencia muy real, algo incomparable.

Lucas:
No te preocupes, Pedrito. Será todo lo que les has prometido y más. 😉

Vocabulario

¡ostia! damn!
intentar to try
a ver si salen de una vez let's see if they go out already
expectativa expectation
sospechar to suspect
no me molestaría averiguarlo I wouldn't mind finding out

7. UNA DISCUSIÓN DE PAREJA

Del local sale un grupo de seis personas que se marchan riendo y charlando. Mientras, el grupo sigue esperando que Lucas deje todo listo para ellos. Lucía acaba de acusar a Jordi de haberle mentido. Jordi está sorprendido.

Jordi: ¿Que te he mentido dos veces hoy? ¿De qué hablas?

Marta: Ehmmm… creo que voy a charlar un rato con Xacobe, ¿sí?

Lucía: Me has mentido… Esta tarde quise darte una sorpresa. ¿Recuerdas cuando te escribí para preguntarte dónde estabas? Me dijiste que estabas en la biblioteca. Bueno, en ese momento *yo* estaba en la biblioteca y tú no estabas ahí…

Jordi: Pero, Lucía...

Lucía: Y ahora… Ahora te llegan mensajes de alguien y ocultas tu teléfono… No sé si quiero saber lo que sucede, Jordi…

Jordi: Esto es ridículo, Lucía. Sinceramente, no te comprendo… Hace cinco minutos te sacabas una foto dándome un beso. ¿Ahora resulta que todo este tiempo estabas enfadada conmigo? Y me lo dices *ahora*, cuando estamos por entrar a este juego, o… lo que sea que esto sea…

Lucía: Entonces no niegas que no te encontrabas en la biblioteca...

Jordi: No, si quieres saber la verdad, no estaba en la biblioteca. Te mentí. Pero lo hice por un motivo... Me apena que no confíes en mí.

Lucía: ¿Cómo puedo confiar en ti si me mientes, Jordi?

Pedro: Ahora sí, amigos. ¡¡Lucas dice que ya podemos entrar!! ¿Estáis listos?

Vocabulario

la discusión de pareja the couple's argument
ocultar to hide
sinceramente honestly
resulta que it turns out that
o lo que sea que esto sea or whatever this is
sea to be (subjunctive)
negar to deny

8. TELEGRAM DE JORDI

El chat se titula "Julieta N."

Julieta:
Hola, Jordi.
¿Estás libre?
¿Cuándo podemos volver a vernos? Ya está casi listo.

Jordi:
¡¡Hola, Juli!! No puedo hablar ahora. Lucía está a mi lado…

Julieta:
Oh… 🤫🤫🤫
Debes ser cuidadoso… No debe saber nada.

Jordi:
Lamentablemente, sospecha algo. Recién me ha montado una escena. Se dio cuenta de que no estaba en la biblioteca esta tarde…

Julieta:
¿¿Sabe que estabas conmigo??

Jordi:
No, no, pero se ha enfadado… Vale, Juli, debo marcharme. Estamos por entrar en

un juego o algo así. Es una de las ideas de Pedrito...

Julieta:
Ah, lo de la sala de escape, lo he visto en Instagram... Vale, vale. Cuando estés libre, avísame.

Jordi:
¡¡Perfecto!! ¡¡¡Eres la mejor!!! ❤❤❤

Julieta:
Lo sé. 😉

Vocabulario

cuidadoso careful
volver a vernos meet again
recién just, recently
montar una escena to make a scene
darse cuenta to notice
avísame let me know

9. WHATSAPP DE LUCÍA

Lucía habla con Marta. El chat se titula "Martita".

Marta:
Hola...

Lucía:
Marta, ¿por qué me escribes por chat si estás parada al lado mío?

Marta:
Porque no quiero que los demás escuchen... ¿Estabas discutiendo con Jordi?

Lucía:
Sí.

Marta:
¿Qué ha sucedido?

Lucía:
Hoy me mintió... Me dijo que estaba en la biblioteca. Justo yo pasaba por ahí y entré a saludarlo, ¡¡pero no estaba!! Entonces le escribí nuevamente y me volvió a decir que estaba en la biblioteca... No lo podía creer...

Marta:
ah

Lucía:
Y recién estaba hablando con alguien y me escondía el teléfono…

Marta:
🤨 mm

Lucía:
No es propio de Jordi esconderme cosas… No sé qué pensar.

Marta:
No te preocupes, Lu. Debe haber una explicación.

Lucía:
Puede que sí. De todos modos, ahora estoy enfadada. Espero que al menos esto de las salas de escape sea divertido.

Marta:
Según Pedrito, será LA MEJOR EXPERIENCIA DE NUESTRAS VIDAS.

Lucía:
¡Qué pesado que es!

Marta:
Shhhh, esconde el teléfono que ahí viene...

Vocabulario

discutir to argue
nuevamente once again
me volvió a decir he told me again
esconder to hide
no es propio de Jordi that doesn't sound like Jordi
puede que sí maybe yes

10. LAS DOS HABITACIONES

Ahora dentro del local, los seis amigos esperan en una pequeña habitación frente a dos puertas, una de las cuales tiene una pequeña ventanilla con barrotes de hierro.

Laura: ¡Ay! ¡Pero si esto parece una cárcel!

Sandra: Creo que es la idea, Laura.

Xacobe: Sí, creo que Sandra tiene razón… Se supone que seremos como prisioneros, ¿verdad?

Pedro: Sí, sí, ya veréis. ¡Ahí viene mi primo! Lucas, ¿por qué no les explicas?

Lucas: Vale, vais a dividiros en dos grupos. Debéis ser tres personas por habitación.

Jordi: Lucía, ¿tú vienes conmigo?

Lucía: No, no, yo iré con Marta y… Xacobe, ven.

Xacobe: ¿Con vosotras? Vale.

Lucía: A tu hermana no le molesta, ¿verdad?

Sandra: ¿A mí? Ha estado junto a mí desde el día que nací y por diecinueve años. Te lo presto por un rato.

Lucas: Vosotros tres, entrad en la habitación de la izquierda.

Lucía: Perfecto.

Lucas: Y vosotros tres, entrad en la habitación de la derecha.

Sandra: Pedro, ¿qué hay de ti?

Pedro: Yo ya he resuelto estas habitaciones miles de veces. Me voy a quedar aquí fuera haciéndole compañía a Lucas...

Vocabulario

una de las cuales one of which
barrotes de hierro iron bars
la cárcel jail
¿verdad? right?
se supone que seremos we are supposed to be
¿qué hay de ti? what about you?
hacerle compañía a alguien to keep someone company

11. LAS REGLAS DEL JUEGO

El grupo se divide en dos. Lucía, Marta y Xacobe entran en la habitación de la izquierda y Jordi, Sandra y Laura entran en la habitación de la derecha.

Sandra: ¡Ostras! ¡Cuántas cosas hay aquí dentro! ¡Parece el trastero de mi madre!

Lucía: Vale, ¿cómo es esto? ¿Ahora cierras la puerta y quedamos encerrados dentro?

Lucas: Exacto. Debéis resolver las pistas que encontraréis en la habitación e ingresar un número de cuatro dígitos en el teclado que está junto al gran botón rojo. Si el número es correcto, cuando presionéis el botón, ¡la puerta se abrirá!

Lucía: Vale, perfecto…

Marta: Oye, espera, ¿y si no resolvemos los acertijos?

Lucas: Si se pone muy difícil después de un rato, podéis hablarme y pedirme alguna pista extra. Los oigo desde aquí fuera. Mira… Cerraré la puerta ahora.

Marta: Vale.

Lucas: ¿Me oís?

Marta: Sí, perfectamente.

Vocabulario

las reglas rules
trastero storage room
quedar encerrado to get locked in
ingresar un número to enter a number
os acertijos riddles
ponerse difícil to become difficult

12. EL HOMBRE ENCAPUCHADO

Jordi, Sandra y Laura entran en la segunda habitación. Lucas cierra la puerta, pero pueden seguir hablando a través de la ventanilla con barrotes.

Lucas: Vale… lo mismo para vosotros. Intentad resolver las pistas. Debéis encontrar los cuatro números que conforman la clave que abrirá la puerta. ¿Está claro? ¿Preguntas? ¿Comentarios?

Jordi: Todo claro… Oye, ¿quién es él?

Lucas: ¿Quién?

Jordi: Él, detrás de ti… ¿qué es eso? ¿Una pistola de agua?

Hombre encapuchado: Tú, ¡arriba las manos!

Lucas: Oye, ¡¿quién eres tú?! ¿Eso es una pistola de agua?

Pedro: ¿Es una broma?

Hombre encapuchado: Tú también, arriba las manos y de rodillas al suelo.

Lucas: Amigo, estoy trabajando, no tengo tiempo para bromas…

Hombre encapuchado: Esto no es una broma. Y sí, es una pistola de agua, pero dentro no tiene agua…

Vocabulario

seguir hablando to keep talking
conformar to make up, form
la clave password
encapuchado hooded
¡arriba las manos! hands up!
broma joke
de rodillas al suelo kneel on the ground

13. TELEGRAM DE LUCIA

Lucía habla con Jordi. El chat se titula "Mi amor 💕".

Lucía:
Jordi, ¿qué ha sucedido?
Oímos gritos. ¿Es parte del juego?
Hola, ¿Jordi?
¿Qué está sucediendo?

Jordi:
Lu, perdón por tardar en responder. No entiendo lo que ha sucedido…

Lucía:
¿¿Qué??

Jordi:
Lucas cerró nuestra puerta, pero podíamos verlo aún a través de la ventanilla de la puerta… Y de pronto entró en el local un tipo encapuchado.

Lucía:
¿¿Un ladrón??

Jordi:
Es que no lo sé. ¡¡Tenía una pistola de agua!!

Lucía:
¿Es una broma?

Jordi:
Al principio pensamos que era una broma, pero entonces el tipo dijo que lo que había en la pistola no era agua sino… caldo de mariscos.

Lucía:
Oh, no…

Jordi:
¿Qué?

Lucía:
Ayer estaba charlando con Pedro… cuando esperaba que salieras de clase. No sé cómo acabamos hablando de Lucas, su primo. Y me mencionó que tiene una alergia a los mariscos. No una alergia cualquiera…una alergia mortal.

Vocabulario

los gritos shouts
perdón por tardar en responder sorry it has taken me so long to reply
de pronto suddenly
un tipo a guy
caldo de mariscos seafood broth
acabamos hablando de Lucas we ended up talking about Lucas

14.TELEGRAM DE JORDI

Jordi habla con Lucía. El chat se titula "Lulú ".

Lucía:
Jor, ¿qué sucedió luego?
¿Puedes ver a Pedro o a Lucas?
¿Jor? ¿Por qué te demoras tanto en responder?

Jordi:
Perdón, Caramelito... Esto es un caos. Laura está siendo más dramática de lo normal. Cuando le dije lo de la alergia a los mariscos, casi le da un ataque... y Sandra está desesperada intentando abrir la puerta.

Lucía:
La puerta... ni siquiera probamos abrirla aún.

Jordi:
Intentadlo... aunque no creo que dé resultado.

Lucía:
Intenté abrirla pero no hay caso... Marta está ingresando todas las combinaciones de cuatro dígitos que se le ocurren en la maquinita esa, pero Xacobe dice que no tiene sentido, que hay exactamente diez mil posibles combinaciones.

Jordi:
¡Maldición!

Lucía:
Jordi, pero hay algo que no comprendo. ¿¿Dónde están Lucas y Pedro, qué ves??

Vocabulario

¿por qué te demoras tanto en responder? why are you taking so long to respond?
más dramática de lo normal more dramatic than usual
casi le da un ataque it almost gave her a heart attack
no hay caso it's useless
no tiene sentido doesn't make sense
ni siquiera probamos abrirla aún we haven't even tried to open it yet
¡maldición! damn it!

15.TELEGRAM DE LUCIA

Lucía sigue hablando con Jordi en Telegram.

Jordi:
Pues es que ahora no veo nada, Lu.

Lucía:
¿Pero no están allí? ¿Dónde están?

Jordi:
Fue todo muy rápido... Entró el tipo, amenazó a Lucas con el arma. Cuando dijo lo del caldo de mariscos, Lucas levantó las manos y Pedro también. Parecían muy asustados.
Yo le preguntaba a Pedro qué sucedía pero el encapuchado me mandó a callar. Y luego el encapuchado le preguntó a Lucas algo...

Lucía:
¿¿Qué??

Jordi:
Ya es que no lo recuerdo bien, fue algo raro... no dijo "dónde está el dinero" o "dónde está la caja de seguridad", fue algo más extraño...

Lucía:
Pues intenta recordar, Jordi, que no tenemos ni idea de qué está sucediendo ahí afuera...

Jordi:
Dónde está la carne.

Lucía:
¿Qué?

Jordi:
Eso le preguntó el tipo a Lucas… ¿Dónde está la carne?

Vocabulario

amenazar to threaten
el arma weapon
parecían muy asustados they seemed very scared
me mandó a callar he told me to shut up
raro weird

16. ¿CARNE?

Lucía, Marta y Xacobe están encerrados en una de las habitaciones de escape. Lucía chatea con Jordi, Marta sigue probando combinaciones en el teclado junto al botón rojo y Xacobe está sentado en el piso.

Lucía: Jordi dice que, entonces, el hombre preguntó "dónde está la carne". Lucas le dijo que la carne estaba en otra habitación y los tres salieron, el tipo con la pistola en alto y Lucas y Pedro con las manos arriba.

Xacobe: Ah, ¡"dónde está la carne"! Eso decía... Yo había oído "Quiero pan de tarde".

Lucía: De todos modos, no tiene mucho sentido, ¿verdad?

Marta: Debe ser un código... "carne" debe significar otra cosa, como dinero... o un documento incriminador, o ¡drogas ilegales! ¿Creéis que Lucas tiene pinta de narcotraficante?

Lucía: Ay, Marta, has estado viendo demasiado Breaking Bad. **Xacobe:** Lo que es claro es que es alguien que conoce a Lucas.

Lucía: ¿Y tú cómo sabes eso?

Xacobe: Evidentemente, es alguien que sabe sobre su alergia mortal a los mariscos... Una cosa así no es un dato público, es algo que sabe tu médico y la gente más cercana:

amigos, familia. Y dudo que el médico de Lucas haya venido aquí a robarle una albóndiga.

Vocabulario

encerrados locked up
con la pistola en alto with the gun held high
el código code
incriminador incriminating
tener pinta de to look like
demasiado too much
albóndiga meatball

17. DIEZ MIL COMBINACIONES

Jordi, Laura y Sandra están dentro de la segunda habitación de escape. Jordi se asoma por décima vez a la ventanilla, Laura llora en un rincón y Sandra intenta abrir la puerta metiendo una tarjeta por la ranura.

Jordi: No creo que sea posible abrir la puerta así, Sandra. ¿Quizá podríamos probar con algunos números?

Sandra: ¡Por Dios, Jordi! Son cuatro dígitos. Hay unas… diez mil combinaciones posibles.

¿Realmente crees que estaremos aquí tanto tiempo?

Jordi: Eres igual que tu hermano.

Sandra: ¿Y eso?

Jordi: Nada, que recién estaba hablando con Lucía y me dijo que Xacobe le dijo lo mismo que tú sobre las combinaciones…

Sandra: ¿Estabas hablando con Lucía? ¡Pensé que estabas intentando hablar con Pedro!

Jordi: Oh, no… No se me había ocurrido escribirle.

Vocabulario

asomarse por la ventanilla look out the window
por décima vez for the tenth time
en un rincón in a corner
la ranura (de la puerta) door gap
¿y eso? how come?
no se me había ocurrido it didn't occur to me

18. WHATSAPP DE JORDI

Jordi habla con Pedro. El chat se titula "Pedrito".

Jordi:
Pedro, ¿estás ahí?

Hola…

Pero, ¿qué ha sucedido?

¿Se ha marchado ya ese tipo?

Espero que ambos estéis bien… Lucía me ha dicho sobre la alergia a los mariscos de tu primo.

Vale, supongo que no puedes contestar…

Pedro:
Jordi, aquí estoy.

Jordi:
Pedro, ostras, ¿¿dónde estás?? ¿Qué ha sucedido? ¿Estáis bien?

Pedro:
No tengo mucho tiempo, el tipo de la capucha está por regresar… Es importante que no llaméis a la policía, ¿vale?

Jordi:
Vale, ¿pero qué hacemos? ¿Cómo salimos?

Pedro:
Solo podéis salir con la combinación, quizá Lucas la recuerda.

Vale, no puedo preguntarle ahora.

El tipo está regresando.

¡¡No llaméis a la policía!!

Vocabulario

ambos both
suponer to assume
está por regresar he is about to come back
quizá perhaps

19. LAURA LLAMA A LA POLICÍA

En la segunda habitación, Sandra se ha rendido de intentar abrir la puerta y Laura sigue llorando en un rincón.

Jordi: ¡Ostras!

Sandra: ¿Qué ha sucedido?

Jordi: Logré hablar con Pedro…

Sandra: ¿Sí? ¿Están bien? ¿Qué ha dicho?

Jordi: Me ha dicho que, pase lo que pase, no llamemos a la policía…

Laura: ¡¿Aún no habéis llamado a la policía?!

Jordi: Laura, ¿que no oyes lo que digo? Pedro dice que no llamemos a la policía… Quizá el tipo los tiene amenazados y, si ve una sirena u oye a un policía cerca, le tirará caldo a Lucas en la boca. Podría tener una reacción grave y morir en pocos segundos. ¿Eso quieres?

Laura: ¡Pero es que es obvio que es mentira, Jordi! Ni con una pistola de caldo ni con un arma real, ese tipo no va a matar a Lucas por un puñado de euros o lo que sea que Lucas pueda darle.

Jordi: ¿Y si el tipo es realmente peligroso?

Laura: Bueno, eso ya lo veremos…

Jordi: ¿Qué haces? Laura, ¡dame tu teléfono! Laura, ¡no! Pedro dijo que no lo hagamos.

Laura: Hola, ¿policía?

Vocabulario

rendirse to give up
logré hablar con I managed to speak to
pase lo que pase no matter what
tirarle algo a alguien to throw something at someone
reacción grave severe reaction
un puñado de a handful of
lo que sea whatever it is

20. CONVERSACIÓN TELEFÓNICA DE LAURA CON EL 911

Laura habla con la policía

911: Hola, ¿cuál es su emergencia?

Laura: Hola, ¿policía? Es una emergencia, sí, estamos en unas salas de escape de Retiro... Se llama... Escape 42.

911: Señorita, ¿cuál es la emergencia? ¿Hay un robo? ¿Alguien está teniendo una emergencia médica?

Laura: Sí... No... Bueno, no lo sé. Podría haber un robo y alguien podía tener una emergencia médica.

911: Señorita, por favor, explique lo que está sucediendo para que podamos evaluar si es una emergencia.

Laura: Vale... Estamos en las salas de escape, encerrados.

911: ¿Alguien los ha encerrado?

Laura: No, no. Bueno sí, pero ha sido por voluntad propia.

911: ¿Entonces cuál es el inconveniente?

Laura: A eso voy, a eso voy... Lucas, el dueño del local, nos había encerrado, cuando entró un tipo encapuchado al local.

911: ¿El hombre iba armado?

Laura: Sí… Bueno, tenía una pistola de agua, pero es que…

911: Señorita, debo recordarle que es un delito hacer llamadas de broma a este número.

Laura: ¡Pero no es una broma! El hombre tenía una pistola de agua, pero dentro no tenía agua, ¡tenía caldo!

911: Señorita, voy a cortar y a bloquear su número. Si intenta comunicarse nuevamente, recibirá una multa de hasta tres mil euros.

Laura: Pero tiene que escucharme… ¡no es una broma! ¿Hola? ¿Hola?

Vocabulario

robo theft
por voluntad propia voluntarily
a eso voy I'm getting to that
el delito crime
voy a cortar I will hang up
multa fine

21. LA RELACIÓN INESPERADA

Jordi mira cómo Laura corta el teléfono. Se va a llorar. Él y Sandra se miran y alzan los hombros.

Jordi: Supongo que eso no salió bien…

Laura: Pues claro que no ha salido bien, Jordi, lo has oído perfectamente. ¡¿Y ahora qué hacemos?! ¿Cómo salimos de aquí?

Sandra: Ya, Laura, tranquila. ¡Qué dramática eres! Íbamos a estar aquí encerrados de todos modos.

Laura: Sí, pero…

Sandra: ¿Pero qué? Es evidente que no te preocupa lo que le suceda a Pedro o a Lucas.

Laura: Bueno, lo que le suceda a Lucas quizá no tanto, pero…

Sandra: ¿Pero qué? Acaso… ¡no!

Jordi: ¿Qué?

Sandra: ¿Estás liada con Pedro?

Jordi: ¿Qué? ¿Tú con Pedro? ¿En serio?

Laura: ¿Qué tiene? Sí… Pero no debíamos decir nada…

Sandra: No lo puedo creer, ¿y estás llorando por él? ¿Jordi puedes creer esto? Laura no solo está liada con Pedro sino que *está llorando por él…* tiene sentimientos.

Jordi: Sí, esto es tan inesperado.

Laura: Vale, ya, no es gracioso.

Vocabulario

alzar los hombros to shrug
eso no salió bien that didn't go well
acaso could it be?
no tanto not so much
estar liado con alguien to be involved with someone
¿qué tiene? what about it?
inesperado unexpected

22.TELEGRAM DE LUCÍA.

Lucía habla con Jordi. El chat se titula "Mi amor 💕".

Lucía:
¿Es Laura la que llora a los gritos?

Jordi:
Sí...

Lucía:
No sabía que Laura tenía la capacidad de llorar.

Jordi:
Nos ha sorprendido a todos, créeme. Oye, he hablado con Pedro.

Lucía:
¿Sí? ¿Qué te ha dicho?

Jordi:
Me habló por un minuto. Me dijo que no llamemos a la policía.

Lucía:
Por casualidad no te ha dicho la combinación para salir de aquí, ¿no?

Jordi:
No... no tuvo la oportunidad de preguntarle a Lucas.

Lucía:
Sabes lo que significa eso, ¿verdad?

Jordi:
¿Qué?

Lucía:
Que tendremos que resolver las pistas de las salas de escape para salir nosotros mismos...

Vocabulario

llorar a los gritos to cry loudly
créeme believe me
por casualidad by any chance
nosotros mismos ourselves

23. TRABAJO EN EQUIPO

Jordi guarda su teléfono en el bolsillo y les comunica a Laura y Sandra lo que acaba de hablar con Lucía.

Jordi: Bueno, chicas, con Lucía creemos que lo mejor será que empecemos a resolver las pistas para salir de aquí y ayudar a Pedro y a Lucas. ¿Estáis de acuerdo?

Sandra: ¿Nos vamos a poner a jugar cuando quizá nuestro amigo está secuestrado?

Laura: ¡Es ridículo!

Jordi: Vamos, no debe ser tan difícil. Laura, ¿no quieres salir y ver cómo está Pedro?

Laura: Sí…

Jordi: Bueno, entonces deja de llorar, ponte de pie y comienza a buscar pistas. No debe ser tan difícil…

Sandra: No lo sé, Jordi, supuestamente toma unas dos horas resolver todas las pistas.

Jordi: Vale, pero si trabajamos juntos, seguramente nos tomará menos.

Vocabulario

el trabajo en equipo teamwork
¿estáis de acuerdo? do you agree? (p.)
ponerse a jugar to start playing
secuestrado kidnapped
deja de llorar stop crying
nos tomará menos it'll take us less time

24. LA PRIMERA PISTA

Lucía, en la otra habitación, sugiere lo mismo: resolver las pistas para ayudar a sus amigos.

Lucía: Con Jordi pensamos que lo mejor será trabajar en equipo e intentar resolver las pistas para salir de aquí y ayudar a Pedro y a Lucas. ¿Qué decís?

Marta: Lo que tú digas, Lu.

Xacobe: ¡Sí! De hecho, ya encontré una pista.

Lucía: ¡¿Ya tienes uno de los números?!

Xacobe: No, no, no es un número. Pero mirad. Hace un rato estaba mirando estas botellas vacías que hay en el rincón de la habitación. ¿No notáis algo extraño?

Lucía: Mmm... No, ¿qué tienen?

Xacobe: Ninguna botella tiene etiqueta, solamente esta. De hecho, esta etiqueta parece nueva, más nueva que la botella. Entonces, me puse a verla y parece una etiqueta normal... pero si miráis dentro de la botella, ¡veréis que hay algo escrito en el reverso!

Vocabulario

sugerir suggest
lo que tú digas whatever you say
de hecho in fact
vacías empty (p.)
etiqueta label
me puse a verla I started looking at it
en el reverso on the other side

25. WHATSAPP DE XACOBE

Xacobe habla con Sandra. El chat se titula "Hermana".

Xacobe:
San, tenemos una pista. Pensamos que entre los seis será mejor resolverla.

Sandra:
¡Súper! Nosotros aún no hemos encontrado nada. 😟
¿Cuál es la pista?

Xacobe:
Son unas palabras extrañas en la etiqueta de una botella… parece un código.

Sandra:
¿Qué dice?

Xacobe:
Estoy intentando sacar una foto, pero no se ve muy bien por la curvatura de la botella. Te lo transcribiré...

WERTYU

,OTSYR- ,OTSYR ,IU FR VRTVS-

YSMYP WIR YI SÑORMYP BRS DI TRGÑRKP

Sandra:
¿¿¿Qué demonios es eso???

Vocabulario

entre los seis between the 6 of us
¿qué demonios es eso? what the hell is that?

26. WHATSAPP DE MARTA

Participantes de la conversación: Marta, Lucía, Xacobe, Jordi, Laura, Sandra. El chat se titula "Atrapados".

Marta:
¡Hola, tod@s! Creé un grupo para que resolvamos esto más rápido. Xacobe ha encontrado una pista en código.

Xacobe:
Sí, es esta.
WERTYU
,OTSYR- ,OTSYR ,IU FR VRTVS-
YSMYP WIR YI SÑORMYP BRS DI TRGÑRKP
¿Alguno de vosotros tiene alguna idea de qué puede significar?

Jordi:
La primera palabra me suena a algo, pero no sé a qué…

Sandra:
Debe ser un código sencillo… Por ejemplo, todas las letras pueden estar cambiadas por la anterior letra del abecedario… o la siguiente.

A ver, voy a probar con eso…

Si fuera así, la primera palabra sería XFSUZV o VDQSXT…

No tiene sentido.

Lucía:
Además, si fuera así, ¿qué serían las comas?

Sandra:
Buena observación, creo que lo tengo...

Vocabulario

alguno de ustedes any of you
me suena it rings a bell
si fuera así if that were the case
además besides
sería would be
creo que lo tengo I think I got it

27. PUNTOS Y COMAS

Sandra levanta la cabeza de su teléfono. Jordi y Laura la miran. Por unos segundos, no dice nada, se queda mirando el aire.

Jordi: Ya di lo que piensas, Sandra. ¿Qué es?

Sandra: Si hay comas, es porque el código no es con el abecedario, sino con algo que tenga puntos y comas, como un teclado *qwerty*.

Jordi: ¡Eso! De eso me sonaba la primera palabra, *qwerty*. Dice eso, ¿no?

Sandra: No, dice *WERTYU*.

Jordi: Quizá tu hermano se equivocó al escribirlo, ¿por qué no se lo preguntas?

Sandra: Vale, vale.

Vocabulario

el punto period, full stop
levanta la cabeza de su teléfono she raises her head from her phone
se queda mirando el aire she stares into the air
por unos segundos for a few seconds
equivocarse to make a mistake

28. WHATSAPP DE JORDI

Participantes de la conversación: Lucia, Xacobe, Marta y Sandra. El chat se titula "Atrapados".

Lucía:
¿Qué es, San?
??

Xacobe:
¿Sandra? ¿Qué piensas?

Jordi:
Perdón, muchachos, estábamos pensando en algo... Xaco, ¿de casualidad no escribiste mal la primera palabra? ¿No es QWERTY en lugar de WERTYU?

Xacobe:
Mmm... No. Estoy viendo la botella y dice eso, pero veo a dónde vais.

Marta:
Yo no, ¿qué es QWERTY?

Jordi:
Es el tipo de teclado que usamos en los ordenadores.

Sandra:
En realidad, se llama así desde la época de las máquinas de escribir.
Se llama así porque las primeras cinco letras son Q, W, E, R, T, Y.

Lucía:
Escuchad ¡¡¡en nuestra habitación hay una máquina de escribir!!!

Vocabulario

en lugar de instead of
en realidad actually
la época age
la máquina de escribir typewriter

29. WHATSAPP DE SANDRA

Participantes de la conversación: Sandra, Lucía y Marta. El chat se titula "Atrapados".

Sandra:
Vale... ¡¡¡Creo que ya sé cómo es la respuesta!!! Mirad el teclado de la máquina de escribir. ¿La letra a la derecha de la Y es la U?

Lucía:
¡Sí!

Sandra:
Vale, entonces es así. La primera palabra es una pista: QWERTY: WERTYU. Nos está diciendo el código: cada letra ha sido reemplazada por la letra de su derecha en el teclado.

Marta:
No comprendo...

Sandra:
¿Alguna vez te ha sucedido de escribir apresurada en el ordenador y escribir una coma en lugar de una M?

Marta:
Todo el tiempo.

Sandra:
Bueno, han hecho eso en todas las letras, adrede. Entonces, si buscáis en el teclado la letra que está a la izquierda de cada letra del mensaje en código, entonces tendremos nuestro mensaje.

Vocabulario

reemplazar to replace
apresurada/o hurried
adrede intentionally

30. EL MENSAJE SECRETO

Xacobe se acerca a la máquina de escribir con la botella. Lucía va con él y Marta la sigue. La máquina de escribir tiene un papel en blanco dentro.

Lucía: Vale, díctame las letras mientras yo escribo.

Xacobe: Vale… coma, o, te, ese, erre … y un guion.

Lucía: ¡Bien! ¡Dice algo! Dice "MIRATE." … Sigue, Xaco.

Xaco: Vale. Deja un espacio. Ahora viene la segunda palabra, que es igual, así que debe decir "MIRATE" nuevamente.

Lucía: OK…

Xacobe: Ahora, otro espacio y la tercera palabra: coma, i, u. Otro espacio.

Lucía: Vale.

Xacobe: efe, erre. Espacio.

Lucía: Sigue.

Xacobe: Uve, erre, te, ve, ese, guion. Espacio. I griega, ese, eme, i griega, pe. Espacio. Uve doble, i, erre. Espacio. I griega, i. Espacio. Ese, eñe, o, erre, eme, i griega, pe. Espacio. Be, erre, ese. Espacio. De, i. Espacio. Te, erre, ge, eñe, erre, ka, pe… Eso es todo.

Lucía: ka… pe… Vale. Ya está.

Marta: ¿Qué dice?

Xacobe: Oh...

Vocabulario

el papel en blanco blank paper
el guion dash
dejar un espacio leave a space
sigue go on (imperative)

31. WHATSAPP DE LUCÍA

Participantes de la conversación: Jordi, Sandra, y Lucía. El chat se titula "Atrapados".

Jordi:
¿Lo tenéis?

Sandra:
¿¿Hola??

¿Ha funcionado?

Lucía:
¡¡Sí!! ¡Encontramos el mensaje! Hicimos lo que nos dijiste y funcionó, San.

Sandra:
¿¿Qué dice??

Lucía:
Mira… te enviaré una fotografía.

Sandra:
¿Y eso qué significa?

Jordi:
Me imagino que hay un espejo en la habitación…

Lucía:
Sí, claro… Hay un espejo, y Marta ya está echando su aliento encima para ver si aparece algo escrito.

Sandra:
¿Y hay algo?

Vocabulario

funcionar to work
el aliento breath
el reflejo reflection
está echando su aliento encima she's breathing out onto (the mirror)
aparecer appear

32. EN EL ESPEJO

Marta está de puntillas frente a un pequeño espejo ovalado con marco antiguo que está colgado en una de las paredes de la habitación.

Lucía: ¿Marta? ¿Hay algo?

Marta: ¡Sí! ¡Hay algo!

Lucía: Por favor, dime que es uno de los números.

Marta: No, lo lamento, pero son más letras…

Lucía: Maldición. Esto no acabará nunca si vamos tan lento. Quién sabe qué le están haciendo a Pedro y a Lucas. Espero que estén bien… De todos modos, ¿qué letras son? Voy a anotarlas para que pensemos cómo decodificarlas.

Marta: Vale… Son una letra uve "y" una letra "i".

Lucía: Vale, ¿qué más?

Marta: Eso es todo…

Lucía: ¿Eso es todo? Déjame ver. Marta, ¡esas no son letras! ¡Es un número seis en números romanos!

Vocabulario

estar de puntillas to be on tiptoes
marco antiguo old frame
está colgado is hanging
anotar to write down
decodificar to decode

33. WHATSAPP DE LUCÍA

Participantes de la conversación: Lucía, Laura, y Jordi. El chat se titula "Atrapados".

Lucía:
¡Lo tenemos!¡Tenemos el primer número! Es un 6. Apareció en el espejo.

Laura:
Genial, ahora solo tenemos que encontrar los otros siete números y estaremos todos fuera en un santiamén.

Lucía:
Wow, tú sí que haces comentarios constructivos, Laura.

Laura:
Es la verdad.

Jordi:
Vale, lo importante es que ya tenemos un número.

Lucía:
¿Vosotros habéis encontrado algo?

Jordi:
Sí, creemos que sí.

Lucía:
¿Qué es?

Jordi:
Una llave… Me puse a revisar unos libros que hay aquí en una biblioteca. La mayoría son libros falsos. Ni siquiera se abren, pero logré abrir uno y tenía el interior hueco. Dentro, había una llave. Pero no sabemos qué abre.

Lucía:
Mmm… probad con la puerta, aunque no creo que funcione.

Jordi:
No, no. Es una llave muy pequeña.

Lucía:
Debe haber algo: un diario con llave, un cajón, un baúl...

Jordi:
No comprendes, Lu…
Hay todo eso y más, hay decenas de objetos con cerradura.

Lucía:
Oh...

Vocabulario

en un santiamén in the blink of an eye
revisar to check
los libros falsos fake books
hueco hollow
el cajón drawer
el baúl trunk (large container)
la cerradura lock

34. EL MALETÍN

Jordi mira cómo Sandra va por toda la habitación con la llave y la prueba en todas las cerraduras que encuentra. Hay cajitas, cajas, libros, cofres, baúles y un mueble que ocupa toda una pared con cajones con cerradura.

Jordi: Espera, San. Nos vamos a volver locos así. Veamos la llave un momento.

Sandra: Vale.

Jordi: Mmm… parece vieja y es de hierro. No creo que vaya con esos cajones de la pared, que parecen más nuevos. Deberíamos buscar una cerradura vieja.

Sandra: ¿Y qué hay del llavero que tiene?

Jordi: Es de cuero… ¿crees que pueda ser una pista?

Sandra: No lo sé, pero podría ser un objeto de cuero.

Jordi: ¿Algo de cuero con cerradura? ¿Como un baúl?
Laura: O un maletín…

Jordi: ¿Qué?

Laura: Un maletín de cuero, ahí debajo del catre. Es del mismo tipo de cuero que el llavero, ¿no?

Sandra: ¡Sí! Jamás pensé decir esto, pero… ¡gracias, Laura!

Laura: Vale, vale, no es para tanto. Pruébalo.

Vocabulario

el maletín briefcase
el cofre chest
volverse loco to go crazy
el mueble piece of furniture
¿y qué hay de…? and what about…?
el llavero keychain
el cuero leather
catre camp bed, cot
no es para tanto it's no big deal

35. WHATSAPP DE JORDI

Participantes de la conversación: Jordi, Lucía, y Marta. El chat se titula "Atrapados".

Jordi:
¡Tenemos 1 nueva pista!

Lucía:
Nosotros también. Pero vale, vosotros primero...

Jordi:
Vale. Descubrimos qué abre la llave. Es un maletín. Dentro, hay varias cosas como una manzana mordida.

Marta:
¡Qué asco!

Jordi:
No, no. Es de plástico.
Hay una manzana mordida de plástico.
Un rompecabezas para niños.
Un muñeco sin cabeza. Y un mazo de cartas...

Lucía:
¡¡Qué tétrico!!

Jordi:
Sí, Sandra está armando el rompecabezas...

¿Qué habéis encontrado vosotros?

Vocabulario

una manzana mordida a bitten apple
¡qué asco! how gross!
el rompecabezas puzzle
el muñeco doll
el mazo de cartas deck of cards
armar un rompecabezas to put together a puzzle

36. WHATSAPP DE LUCÍA

Participantes de la conversación: Lucía y Jordi. El chat se titula "Atrapados".

Lucía:
Encontré algo dentro de un pequeño bote de basura sobre la mesa... Le quité la tapa y vi que dentro dice "Las cenizas, aquí".

Jordi:
¿Y eso qué significa?

Lucía:
No lo sé... Cerca, en la misma mesa, había un cenicero de vidrio, lleno de cenizas y colillas de cigarro. Entonces, vacié el cenicero dentro del bote, pero no ha sucedido nada.

El bote sigue igual. No había nada dentro de las cenizas, tampoco.

No lo comprendo...

Jordi:
Mmm... ¿y qué hay del cenicero?

Lucía:
¿A qué te refieres?

Jordi:
Cuando lo vaciaste, ¿no había ningún mensaje oculto debajo de las cenizas?

Lucía:
No, no, es completamente transparente. Puedo ver a través. De hecho…

Jordi:
¿Qué?

Lucía:
De hecho, puedo ver MUY BIEN a través del cenicero… Es como una lupa. Lo volví a colocar donde estaba, sobre una revista, y ahora veo algo que antes no veía....

Jordi:
¿Es una palabra?

Lucía:
No, es algo que está impreso en el trozo de papel que estaba debajo del cenicero. Precisamente… es el emoji de una lupa. 🔍

Creo que es una pista. ¡¡Debemos usar el cenicero como lupa!!

Vocabulario

le saqué la tapa I took the lid off
las cenizas ashes
el cenicero de vidrio glass ashtray
la colilla de cigarro cigarette butt
vaciar to empty
impreso printed
el trozo de papel piece of paper

37. ¿QUÉ FALTA?

Mientras Jordi habla con Lucía, Sandra acaba el rompecabezas. Laura la mira, sentada en el catre.

Sandra: ¡Terminé!

Jordi: ¡Qué rápida!

Sandra: Es un rompecabezas de muy pocas piezas...

Laura: Pero aún no has acabado. Te falta una pieza.

Sandra: Lo sé, eso quería decir. Hay una pieza faltante.
Jordi: ¿Estás segura?

Sandra: Sí, no estaba en el maletín. Quizá debemos buscarla por la habitación. Quizá en esa pieza hay algo escrito.

Jordi: Sí, puede ser, pero…

Sandra: ¿Qué?

Jordi: Estoy pensando en que no es lo único que había dentro del maletín, ¿verdad?

Sandra: Sí, es cierto.

Jordi: Quizá deberíamos ver todo en general y no cada uno en particular.

Sandra: ¿A qué te refieres?

Jordi: Siento que hay un mensaje aquí... La manzana está mordida, al muñeco le falta la cabeza, el rompecabezas está incompleto... Es como si todo estuviera mal.

Sandra: No... No es que todo está mal... ¡A todo le falta algo!

Jordi: ¡Sí, eso! ¿Entonces?

Sandra: ¡El mazo de cartas, Jordi! Si a todo le falta algo, al mazo de cartas le debe faltar una carta... ¡Las cartas tienen números! ¡El número de la carta faltante debe ser uno de los números que necesitamos para abrir la puerta!

Vocabulario

¿qué falta? what's missing?
te falta una pieza you're missing a piece
la pieza faltante missing piece
lo único the only thing
cada uno each one
a todo le falta algo everything is missing something

38. WHATSAPP DE JORDI.

Participantes de la conversación: Jordi, Xacobe, y Marta. El chat se titula "Atrapados."

Jordi:
¡Ya casi resolvimos una pista!

En el maletín, a todos los objetos les faltaba algo.

Al muñeco, le faltaba la cabeza.

A la manzana, le faltaba un trozo.

Al rompecabezas, le faltaba una pieza.

Entonces, a Sandra se le ocurrió que quizá la carta faltante sea uno de los números que estamos buscando.

Xacobe:
Si es un número del 0 al 9, entonces puede ser que sí.

Jordi:
Las chicas están ordenando las cartas en el suelo para ver qué carta falta. ¿Vosotros habéis avanzado con el cenicero?

Marta:
Lucía está usándolo en los papeles que había sobre la mesa…

Creo que acaba de encontrar algo...

Vocabulario

el trozo piece, slice
vosotros habéis avanzado con have you made progress with

39. LA LUPA

Lucía acaba de ver algo usando el cenicero de cristal como lupa sobre los papeles de la mesa. Xacobe y Marta se acercan a ella para ver qué ha encontrado.

Lucía: ¡Lo tengo!

Marta: ¿Qué es?

Xacobe: ¿Eso es un calendario?

Lucía: Sí, es un calendario. Mirad en la fecha de hoy. Aquí hay un puntito rojo. A simple vista, parece una mancha. Pero si los veis usando el cenicero como lupa, podéis ver que en realidad no es una mancha, ¡es un número! Es un número dos.

Marta: ¡Qué emoción! ¡Ya tenemos dos números!

Lucía: De todos modos, debemos apresurarnos si queremos ayudar a Pedro… ¿Qué hora es?

Xacobe: Las nueve y media.

Marta: Las nueve y veinte pasadas.

Xacobe: Oh, ese reloj debe estar un poco adelantado...

Vocabulario

el puntito rojo small red dot
a simple vista at first sight
la mancha stain
apresurarse to hurry up
son las nueve y veinte pasadas it's nine twenty-something
adelantado fast (clock)

40. WHATSAPP DE LUCÍA.

Participantes de la conversación: Lucía, Sandra, y Jordi. El chat se titula "Atrapados".

Lucía:
¡Ya tenemos el segundo número! Es un 2. Estaba en un calendario sobre la mesa. Logré verlo con el cenicero, usándolo como lupa.

Sandra:
¡¡Qué bien!! Aquí ya hemos acabado de revisar el mazo de cartas. Efectivamente, hay una carta faltante, es el cinco de espadas, por lo que tenemos el segundo número.

Lucía:
Genial, entonces solo nos faltan dos números aquí y tres en vuestra habitación, ¿verdad?

Jordi:
¡Sí! Así es.
Oh, Dios.
¿¿¿Oís eso???

Vocabulario

efectivamente indeed
cinco de espadas five of spades
por lo que so; which is why

41. EL GRITO.

Lucía miró hacia arriba. Se escuchaban pisadas muy fuertes desde el techo. De pronto, se oyó un grito inconfundible...

Lucía: ¡Oh, Dios mío! ¿Habrá sido Pedro?

Marta: Quizá fue el tipo encapuchado, tal vez los muchachos lograron sacárselo de encima.

Lucía: No me ha gustado nada eso.

Marta: Esas pisadas parecen acercarse…

Lucía: Parece que están bajando una escalera… En nuestra casa, mi habitación está junto a la escalera de emergencias y cuando alguien la usa, se escucha así.

Marta: Oye, si alguien está bajando… Quizá estén viniendo por nosotros… O quizá alguien esté por salir.

Lucía: ¡Qué lástima que no podemos ver nada desde aquí! Pero Jordi sí puede, en su habitación hay una ventanilla. Le voy a decir que intente ver qué sucede.

Vocabulario

mirar hacia arriba to look upwards
las pisadas fuertes heavy footsteps
inconfundible unmistakable
lograron sacárselo de encima they managed to get rid of him (to make him go away)
la escalera de emergencias emergency stairs

42. WHATSAPP DE LUCÍA

Participantes de la conversación: Lucía, Jordi, y Sandra. El chat se titula "Atrapados".

Lucía:
@MiAmor, asómate a la ventanilla.

Creemos que alguien está bajando por una escalera.

Jordi:
Vale, ya mismo.

Desde aquí puedo ver la habitación desde donde entramos y apenas puedo ver un poco del pasillo principal.

Lucía:
Avísanos si ves algo. Alguien definitivamente está bajando…

Jordi:
¡¡Vi a alguien!!

Lucía:
¿Era el tipo de la capucha?

Jordi:
No lo sé… Alguien pasó corriendo.

Lucía:
Quizá era el tipo de la capucha, que obtuvo lo que quería y se marchó.

Sandra:
Si es así, Pedro y Lucas bajarán en un instante.

Lucía:
Pero puede que estén con las manos atadas en algún sitio, o incluso…Jordi, llámalos, por favor, dinos si oyes algo...

Vocabulario

apenas barely, hardly
ya mismo right now
el pasillo principal main hallway
obtener to get
puede que estén con las manos atadas they may have their hands tied
incluso even

43. EN LA TERRAZA

Jordi lee el mensaje de Lucía y guarda el teléfono en su bolsillo. Se levanta y se pone de puntillas para que su boca esté a la altura de la ventanilla de la puerta, y grita.

Jordi: ¡¡¡Pedroooooo!!! ¡¡¡PEDROOOOOOOOOO!!! ¡Lucas! ¡Pedro! ¿Estáis por ahí?

Laura: Ay, Dios, espero que estén bien…

Jordi: ¡Shhhhhh! Creo que escucho algo… ¡PEDROOOOOO! ¿Me oyes?

Pedro: ¡Jordi! Te oigo, pero no puedo moverme…

Jordi: ¿Tu primo está bien?

Pedro: Sí, estamos bien…

Jordi: ¿Podéis venir? ¿Dónde estáis?

Pedro: Estamos en la terraza. Acaba de atarnos las manos y los pies… No podemos bajar. Debéis salir de ahí… Debéis ayudarnos, pero pase lo que pase no llaméis a la policía…

Jordi: Vale, Pedro, pero…

Pedro: Jordi, escúchame, va a regresar en cualquier momento… Debéis resolver las pistas y subir antes de las diez.

Jordi: ¿Por qué antes de las diez? ¿Al menos podéis ayudarnos? ¿Tu primo recuerda los números? ¿Puedes decirnos dónde están las pistas? Pedro... ¿Pedro? ¿Me oyes? ¿Pedro?

Vocabulario

ponerse de puntillas to get on one's tiptoes
para que su boca esté a la altura de la ventanilla so that his mouth is at the same level of the window
¿estáis por ahí? are you out there?
atar to tie up
en cualquier momento at any time

44. WHATSAPP DE JORDI

Participantes de la conversación: Jordi, Lucía, y Xacobe. El chat se titula "Atrapados".

Jordi:
Pude hablar con Pedro…

Lucía:
Oímos los gritos desde aquí, pero no podíamos oír qué te respondía…

Jordi:
Insiste en que no llamemos a la policía.

Laura:
De todos modos, la policía no nos cree… Ya lo he intentado.

Jordi:
Ya, exacto.

Lucía:
¿Qué más dijo Pedro?

Jordi:
Dijo que el tipo de la capucha va a regresar en cualquier momento… Y dijo que debemos salir de aquí antes de las diez.

Lucía:
¿¿Antes de las diez?? ¿Por qué?

Jordi:
No lo sé… Ni idea…

Xacobe:
Chicos… Solo falta media hora para las diez… Y aún nos falta encontrar cinco números.

Vocabulario

¿qué más? what else?
la capucha hood

45. EL CAJÓN ABIERTO

Jordi lee el mensaje de Xacobe, mira la hora y comienza a ponerse nervioso. No están muy cerca de poder salir de allí. Tienen solo media hora para descubrir los tres números que faltan.

Jordi: Vale, tenemos que hacer esto. Laura, ponte de pie y ayuda de una vez. Quiero que pruebes todos los cajones del mueble grande de la pared. Si alguno se abre, nos avisas.

Laura: Vale, vale.

Jordi: Sandra, si te parece bien, tú podrías revisar ese catre, ver si hay algo debajo del colchón, en la funda de la almohada o en algún otro sitio.

Sandra: ¡Claro!

Jordi: Y yo voy a probar todas estas cajitas, cofres y baúles a ver si encuentro algo.

Laura: ¡Ya he abierto uno!

Sandra: Vaya, eso ha sido rápido.

Vocabulario

ponerse de pie to stand up
el colchón mattress
la funda de la almohada pillowcase
vaya well (to express surprise)

46. EL PAPELITO

Laura ha logrado abrir uno de los cajones. Los tres se acercan. Dentro, no hay nada.

Jordi: ¿Cómo lo has abierto?

Laura: Estaba sin llave. Pero parece que no tiene nada... Seguiré intentando con otros.

Sandra: Espera. Fíjate bien. Puede haber algo escondido dentro... Un doble fondo... Algo así. Mete la mano.

Laura: ¿Meter mi mano en ese cajón polvoriento? ¡De ningún modo! ¡Acabo de hacerme la manicura esta tarde!

Sandra: Ay, ya muévete entonces. Lo haré yo misma... A ver... Nada por aquí... Nada por allí... ¡*Voilá*! ¡He encontrado algo!

Jordi: ¡¿Qué es?!

Sandra: Un papelito. Está pegado en la parte de arriba. Lo voy a despegar... ¡Aquí está!

Jordi: ¿Qué dice?

Sandra: Mmm... Parece un acertijo... Dice: "Resuelve el problema de las nueve botellas. Quién te suma, quién te quita y quién te da la respuesta".

Vocabulario

fíjate bien look closely
escondido hidden
el doble fondo false bottom
polvoriento dusty
de ningún modo no way
nada por aquí...nada por allí... nothing here...nothing there...
pegado glued
despegar to unstick
el acertijo riddle
quitar remove

47. WHATSAPP DE LUCÍA

Participantes de la conversación: Lucía, Jordi, Sandra, y Xacobe. El chat se titula "Atrapados".

Lucía:
¿¿Lo habéis visto pasar?? ¡¡Está subiendo nuevamente por las escaleras!!

Jordi:
No, lo lamento. No hemos visto nada, estábamos intentando buscar más pistas.

Lucía:
Da igual... ¿Habéis descubierto otro número?

Jordi:
¡Aún no! Estamos en eso... Encontramos una pista. Dice así: resuelve el problema de las 9 botellas. Quién te suma, quién te quita y quién te da la respuesta.

Lucía:
¿Y tenéis idea de a qué se refiere?

Sandra:
Sí, ya encontramos las 9 botellas. Son unas botellitas en un pequeño especiero... Están selladas. No pueden abrirse. Dentro tienen canicas de vidrio...

Xacobe:
¿Qué es un especiero?

Sandra:
Un estante de especias... Te enviaré una foto.

Vocabulario

estamos en eso we're on it
sellado sealed
las canicas marbles
el estante shelf
las especias spices
hay cierta cantidad de canicas there's a certain amount of marbles

48. WHATSAPP DE XACOBE

Participantes de la conversación: Sandra, Xacobe, Lucía, Jordi, y Laura. El chat se titula "Atrapados".

Sandra:
Creo que debemos adivinar el número de canicas que irían en la última botella. Es la única que no tiene tapa y está vacía...

Xacobe:
Vale, parece un problema matemático, ¿verdad? No debe ser muy complicado... Debe ser algo de sumas y restas.

Lucía:
¡Lo tengo! ¡El primer número de cada fila menos el segundo da como resultado el tercero!

Jordi:
No, no. El tercer número más el segundo suman el primero.

Laura:
O el primero menos el tercero dan como resultado el segundo...

Xacobe:
¿¿¿Pero os dais cuenta de que estáis diciendo todos lo mismo???

Lucía:
¡Oh, es cierto! LOL 😂

Xacobe:
Vale, si tenéis razón, entonces, en la última botella debería haber… 1 canica.

Vocabulario

que irían that would go
adivinar to guess
las sumas y restas additions and subtractions
la fila row
menos minus
debería haber there should be

49. WHATSAPP DE LUCÍA

Participantes de la conversación: Lucía, Jordi, y Sandra. El chat se titula "Atrapados".

Lucía:
Genial, chicos, ya tenemos dos números en cada habitación... Nos quedan unos quince minutos para descubrir los dos números que faltan.

¡¡Si queremos lograrlo, debemos hacer nuestro mejor esfuerzo!!

Jordi:
Vale. Vamos a seguir investigando aquí... Os diremos si encontramos algo... Creo que lo mejor será que cada equipo trabaje por su cuenta para no tardar más tiempo... Así, al menos uno de los dos podrá salir antes de las diez.

Lucía:
¡Jordi, es mejor si trabajamos en equipo! ¡Lo resolveremos más rápido!

Jordi:
Lucía, solo lo digo para ir a ayudar a Pedro cuanto antes...

¡¡Que salgan 3 personas es mejor a que no salga ninguna!!

Sandra:
Oíd, mientras vosotros peleáis, el resto estamos investigando.

Lucía:
Vale, perdón, Jordi.

Jordi:
No, yo te pido perdón, Lu. Seguiré investigando y te avisaré si encontramos algo… ♥
Te extraño.

Vocabulario

nos quedan quince minutos we have fifteen minutes left
el esfuerzo effort
por su cuenta on their own
tardar to take (time)
cuanto antes as soon as possible
pelear to fight

50. OLOR A HUMO

Jordi guarda el teléfono en su bolsillo. Laura prueba con el resto de los cajones del gran mueble, pero todos parecen cerrados. Sandra, mientras, da vuelta al colchón del catre.

Sandra: Parece que no hay nada por aquí…

Laura: Aquí tampoco. Diría que todos estos cajones están cerrados…

Jordi: Esto es terrible. ¡Hay tantos objetos en esta habitación! Jamás descubriremos los dos números en menos de quince minutos. Voy a matar a Pedro, ¿cómo se le ocurrió traernos a esta trampa mortal? Debería haber un mecanismo de seguridad para salir… ¿Qué pasaría en caso de incendio, por ejemplo?

Sandra: ¡Qué coincidencia! Dijiste eso y sentí olor a humo…

Laura: Oye, yo también siento olor a humo…

Jordi: Yo también…

Vocabulario

olor a humo smell of smoke
dar vuelta to flip
diría que I'd say that
trampa trap
pasaría would happen
incendio fire

51. WHATSAPP DE JORDI

Participantes de la conversación: Jordi y. El chat se titula "Atrapados".

Jordi:
Chicos, ¿¿vosotros sentís olor a humo??

Lucía:
Mmm… no, no sentimos nada.

Jordi:
Vale, creemos que viene de afuera. Se siente más cerca de la ventanilla de la puerta.

Lucía:
Vosotros al menos tenéis algo de aire. Aquí no hay ventanilla ni nada. Bueno… Hay una ventilación en el techo, pero el ventilador está quieto, no se mueve.

Jordi:
Bueno, si sentís olor a humo, avisadme. Porque si esto se prende fuego, no sé qué haremos. Supongo que habrá que llamar a los bomberos, aunque Pedro no lo quiera.

¿Lu?

¿Chicos?

¿Estáis ahí?

Lucía:
Perdón, es que cuando miré la ventilación noté algo…
El ventilador no se mueve porque está trabado con algo…
Parece un trozo de papel.

Jordi:
¿Podéis alcanzarlo?

Lucía:
Estamos intentándolo...

Vocabulario

ventilador fan
quieto still
prenderse fuego to catch fire
los bomberos firefighters

52. EL VENTILADOR

Lucía mira hacia el techo. Es un techo alto. Xacobe, el más alto de los tres, intenta saltar y alcanzar el papel, pero no llega. Luego, intenta alcanzarlo subiéndose a la única silla de la habitación.

Xacobe: ¡No puedo alcanzarlo! Está muy alto… ¿Estás segura de que eso es una pista? Quizá simplemente es un trozo de basura… O quizá alguien lo puso ahí para detener el ventilador por otro motivo.

Lucía: Estoy segura de que es una pista y también de que debe haber un método más sencillo para alcanzarlo.

Sandra: Quizá hay algún interruptor para que el ventilador comience a moverse y el papel caiga.

Lucía: Puede ser… ¿veis alguno?

Sandra: Mmm… no, no realmente.

Xacobe: Quizá hay alguna escalera oculta en algún sitio… ¡Ay! ¡¿Por qué no tengo los brazos más largos?!

Lucía: No te preocupes, Xaco, tengo un brazo largo para ti.

Vocabulario

el más alto de los tres the tallest of the three
no llega he can't reach it
alcanzar to reach
detener to stop
el interruptor switch

53. LA BARRA DE LA CORTINA

Lucía está mirando la pared de la habitación donde hay unas cortinas sobre la pared, pero sin ventana. A las cortinas las sostiene una barra de aluminio que tiene una forma particular.

Marta: ¿Qué es lo que tiene ahí en un extremo? ¿Es una mano?

Lucía: Sí, ¡eso parece! Ayúdame a bajarla.

Marta: Vale… A ver... Tú ponte ahí… ¡Cuidado! Ay, casi me la clavo en el ojo… Sí, es una mano. ¿En el otro extremo hay otra?

Lucía: No, en este extremo hay una especie de… palanca.

Marta: ¡Ay! ¡Qué miedo!

Lucía: ¿Qué ha sucedido?

Marta: ¡La mano se abrió y se cerró!

Lucía: ¡Eso es! Es un brazo extensible. Toma, Xaco, ya que estás ahí. Con esta palanca activas la mano. ¿Llegas bien?

Xaco: Sí, claro, perfectamente. ¡Lo tengo! Cuidado que voy a bajarlo… No quiero golpearos.

Lucía: Ya lo tengo.

Marta: ¿Qué dice? ¿Qué dice? ¿Es un número?

Lucía: ¡Ojalá! No, es otro acertijo.

Xacobe: Maldición, no creo que tengamos tiempo de resolverlo. ¡Mirad! ¡Ya son las diez!

Vocabulario

la barra de la cortina curtain rod
sostener to support
la forma shape
en un extremo at one end
tú ponte ahí stand over there
casi me la clavo en el ojo I almost stuck it in my eye
una especie de palanca some kind of lever
¡qué miedo! how scary!
golpear to hit
toma here (when handing something over to someone)

54. WHATSAPP DE XACOBE

Participantes de la conversación: Xacobe y Jordi. El chat se titula "Atrapados".

Xacobe:
Chicos, ya son las diez. Tenemos una pista nueva… ¿creéis que Pedro esté bien?

Jordi:
¿A qué te refieres? No son las diez aún…

Xacobe:
Ohhh… Es el reloj de la habitación, que está adelantado. Ahora veo que nos quedan unos minutos.

Jordi:
¿Qué dice la pista?

Xacobe:
Dice… Mira el sentido en el que gira este ventilador. ¿No crees que va demasiado rápido?

Jordi:
La encontrareís en el ventilador, ¿verdad?

Xacobe:
Sí, claro.

Jordi:
¿Y ahora ha comenzado a girar?

Xacobe:
Sí.

Jordi:
Y en qué sentido gira...

Xacobe:
Ah, sí, perdón. Gira... En el sentido de las agujas del reloj.

Vocabulario

el sentido direction
girar spin, rotate
en el sentido de las agujas del reloj in a clockwise direction

55. WHATSAPP DE JORDI

Participantes de la conversación: Jordi, Xacobe, y Lucía. El chat se titula "Atrapados".

Jordi:
Xaco, ¡tú mismo me has dado la respuesta!

Xacobe:
¿A qué te refieres?

Jordi:
¡Debe ser el reloj! El reloj está adelantado, ¿verdad?

Xacobe:
¡Sí! Es verdad.

Jordi:
Bueno, quizá… ¿cuántos minutos está adelantado? ¡Esa debe ser la respuesta!

Lucía:
Creo que son… siete minutos. A ver. Esperaré que cambie el minuto en mi teléfono para ver si coincide con el momento en el que la aguja de los segundos llega al doce.

Jordi:
Vale, buena idea.

Lucía:
Sí… cambió el minuto en el mismo segundo. En mi teléfono dice que son las 9.56 y en el reloj dice que son las 10.03.

Jordi:
¡O sea que vuestro número es el 7! ¿Ya está? ¿¿Ya tenéis todos los números??

Lucía:
No… aún nos falta uno.

Vocabulario

a qué te refieres what do you mean?
cambiar to change
en el que in which
la aguja de los segundos second hand

56. WHATSAPP DE XACOBE

Participantes de la conversación: Jordi, Xacobe, Sandra, y Lucía. El chat se titula "Atrapados".

Jordi:
Un momento, ¡de todos modos ya tenéis 3 números! ¿No podéis poner esos tres y probar las diez combinaciones del 0 al 9 en el cuarto número? ¡Son solo 10 combinaciones!

Xacobe:
No, no realmente. En realidad, sabemos tres números, pero no sabemos en qué orden van... Ese número misterioso que no conocemos podría estar en cualquier ubicación... Primero, segundo, último... Entonces, si probamos todas las combinaciones posibles... Serían...

Sandra:
240

Xacobe:
Exacto.

Lucía:
¡Es demasiado!

Xacobe:
No es mucho, pero necesitamos un buen rato. ¡Es imposible probarlas todas antes de las diez! Además, eso sería asumiendo que todos los números que tenemos son correctos.

Lucía:
¡Maldición! Tenemos que encontrar ese último número, entonces. No creo que lo logremos, de todos modos, ¡¡ya son casi las diez!!

Jordi:
Voy a escribirle a Pedro para ver si puede decirme qué sucede a las diez… Si es grave, deberemos intentar tirar la puerta a patadas o volver a llamar a la policía...

Vocabulario

un momento wait a minute
podría estar could be
necesitamos un buen rato we need quite a while
no creo que lo logremos I don't think we will make it
grave serious
tirar la puerta a patadas to kick down the door

57. WHATSAPP DE JORDI

Jordi habla con Pedro. El chat se titula "Pedrito".

Jordi:
Pedro, ¿estás ahí?

¿Pedro?

¡¡Son casi las diez y seguimos dentro!!

¿¿¿Qué hacemos???

Pedro:
Jor, solo tengo un segundo. Mira, no pasa nada… Pero…

Jordi:
¿Pero qué?

Pedro:
No puedo explicarlo… Mira, digamos que las cosas se han retrasado aquí también, vale… Salid lo antes posible, eso es todo lo que importa…

Jordi:
¿Y una vez que salgamos?

Pedro:
Venid a la terraza, subid con cuidado.

Jordi:
Oye, ¿no estás atado de pies y manos? ¿Cómo estás escribiendo?

Pedro:
Eh… Me desató las manos… Aún no se ha dado cuenta de que tengo mi teléfono conmigo.

Jordi:
Vale, ¿¿podrías ayudarnos con las pistas??

¿Pedro?

¿Estás ahí?

¿Pedro?

Vocabulario

no pasa nada it's ok, it's no big deal
digamos let's say
retrasarse to delay
una vez que salgamos once we get out
desatar untie

58. TRAGEDIAS

Mientras Jordi habla con Pedro, Sandra y Laura revuelven la habitación buscando alguna nueva pista. Sandra mira nerviosamente la hora cada cinco segundos.

Jordi: Tranquila, San. Pedro me dijo que no es grave si no logramos salir antes de las diez...

Sandra: ¿Y eso?

Jordi: No sé, no entendí. Dice que de algún modo las cosas también se han "retrasado" ahí arriba. Parece que están en la terraza... Oye, Laura, ¡no creo que sea el mejor momento para sentarte a leer! De todos modos, dijo que debemos salir lo antes posible.

Laura: ¡Ay, Jordi! Qué grosero. No me senté a leer. He descubierto algo...

Jordi: Oh, lo siento... Estoy un poco enfadado. No me gusta esto de estar encerrado... En fin, ¿qué has descubierto?

Laura: Bueno, ¿recuerdas el libro donde encontramos la llave?

Jordi: Sí, claro.

Laura: Bueno, de todos los libros, era el único que se abría. El resto son falsos, no se abren, están pegados. Lo mismo con los cajones, los baúles… Si bien hay muchas cosas en esta habitación, la mayoría no tienen nada dentro o están cerradas... ¡Son simples distracciones!

Jordi: Vale… ¿entonces?

Laura: Bueno, solo hay un libro real, además del que tenía la llave dentro… este libro de aquí.

Sandra: ¿*Tragedias*, de Sófocles? Espero que no tengamos que leer griego antiguo para resolver esto...

Jordi: ¿Hay algo dentro del libro?

Laura: No exactamente.

Vocabulario

revolver to mess up
cada cinco segundos every five seconds
qué grosero how rude
en fin anyway (change of topic)
si bien although

59. EL ACERTIJO DE LA ESFINGE

Jordi, Sandra y Laura miran el libro que sostiene Laura. El libro está abierto en una página en particular, donde hay un párrafo subrayado.

Laura: No hay ningún objeto dentro del libro, pero sí tiene un señalador que marcaba esta página. Y aquí hay un párrafo subrayado con lápiz. Debe significar algo.

Jordi: ¡Muy bien, Laura! Sí, claro, ¿qué dice?

Laura: Dice… *Adivina este acertijo o encontrarás tu muerte…*

Jordi: ¡Qué tétrico! ¡Por Dios!

Laura: Sigue… ¿Cuál es la criatura que en la mañana camina en cuatro patas, al mediodía en dos y en *la noche en tres?*

Sandra: Oh, recuerdo esto, lo estudié en el secundario… Es el acertijo que la esfinge le hace a Edipo cuando llega a Tebas...

Jordi: No entiendo nada de lo que acabas de decir. ¿Recuerdas cómo es la respuesta del acertijo?

Sandra: ¡No! Maldición, ¡no lo recuerdo! Pero debe decirlo ahí, ¿qué responde Edipo?

Laura: Eh… la página siguiente está arrancada.

Sandra: ¡Maldición!

Jordi: Bueno, Sandra, no te preocupes. ¡Por suerte tenemos internet!

Vocabulario

la esfinge sphinx
sostener to hold
subrayado underlined
el señalador bookmark
la muerte death
tétrico gloomy
caminar en cuatro patas to walk on four legs
la página está arrancada the page is ripped out

60. WHATSAPP DE XACOBE

Participantes de la conversación: Jordi, Lucía, y Xacobe. El chat se titula "Atrapados".

Jordi:
¡¡Tenemos una pista nueva!!

Lucía:
Genial, ¿qué es?

Jordi:
La encontramos en un libro, es un acertijo famoso, el de Edipo y la esfinge. Ya googleamos la respuesta, pero no estamos seguros de qué significa.

Lucía:
¿Cómo es?

Jordi:
El acertijo es ¿Cuál es la criatura que en la mañana camina en cuatro patas, al mediodía en dos y en la noche en tres?

Xacobe:
La respuesta es el hombre.

Jordi:
Sí, exacto. Googleamos la respuesta y dice así: Edipo miró a

la Esfinge y le respondió: "El hombre. En su infancia gatea con sus manos y rodillas, que es como tener cuatro pies. Cuando es un adulto, camina en dos pies. Y en el anochecer de su vida, cuando es un anciano, usa un bastón que equivale a caminar en tres pies".

Lucía:
¿Y qué creéis que puede significar eso? ¿Quizá 4 + 2 + 3 es el número? ¿9?

Vocabulario

la infancia childhood
gatear crawl
anochecer dusk
bastón cane

61. WHATSAPP DE JORDI

Participantes de la conversación: Jordi, Laura, y Lucía. El chat se titula "Atrapados".

Jordi:
¿El número 9? No lo sé... La respuesta es el hombre, creo que va por ese lado.

Laura:
El único hombre aquí es Jordi. Quizá esa es la respuesta, la cantidad de hombres en la habitación: 1.

Lucía:
No tiene sentido... Xacobe podría haber entrado también, podrían ser todos hombres.

Jordi:
De todos modos, creo que Laura tiene razón, pero creo que el acertijo se refiere al hombre en el otro sentido... en el sentido de la humanidad, las personas.

Lucía:
O sea, la cantidad de personas que hay en la habitación... ¡3!

Jordi:
Lucas sí insistió en eso cuando entramos.

Quería 3 personas en cada habitación. Debe ser eso.

Lucía:
Chicos, por cierto, ¡¡ya son más de las 10!!

Jordi:
Tranquila, Lu. Hablé con Pedro y dijo que nos apuremos pero que no pasa nada si se hacen las diez.

Lucía:
Vale… y cambiando de tema, ahora que el ventilador de nuestra habitación funciona, os cuento que ahora sí se siente mucho olor a humo.

Jordi:
Ese tipo está quemando algo en la terraza. ¿Qué será?

Lucía:
Huele a carne quemada…

Vocabulario

o sea in other words
por cierto by the way
¿qué será? what could it be?
huele a smells like
quemada burnt

62. EL CORTE DE LUZ

Lucía, Marta y Xacobe miran hacia arriba. Entra mucho olor a humo por la ventilación. Se miran con preocupación pero no dicen nada. En cambio, comienzan a revolver la habitación buscando la última pista. Sin embargo, en ese momento se corta la luz.

Lucía: ¡Maldición! Marta, ¿puedes iluminar con tu teléfono? Casi no tengo batería...

Marta: Sí, claro...

Xacobe: Sandra dice que al lado también se cortó la luz, pero solo dentro de la habitación, dice que en el corredor hay luz.

Lucía: Solo en las habitaciones... ¿entonces será parte de la prueba?

Marta: Oye, Lu, yo tampoco tengo demasiada batería, quizá haya una linterna o unas velas por aquí.

Xacobe: ¡Yo he visto una linterna!

Lucía: ¿Dónde?

Xacobe: Ay, no estoy seguro, ¡pero estaba por aquí en algún sitio!

Vocabulario

el corte de luz power outage
en cambio instead
sin embargo however
al lado next door
la prueba test
las velas candles

63. LA LINTERNA DE LUZ NEGRA

En la oscuridad, solo iluminados por sus teléfonos, Xacobe, Marta y Lucía buscan por toda la habitación una linterna.

Xacobe: Estoy seguro de que la vi apenas entramos… estaba a simple vista, no estaba escondida ni nada…

Lucía: ¿Recuerdas cómo era? ¿Grande, pequeña?

Xacobe: Era grande y negra. Bastante grande, como del tamaño de una… ¡botella! Ya lo recuerdo, estaba con las botellas donde encontramos la primera pista.

Lucía: Genial, a ver...

Xacobe: Aquí está… Oh…

Marta: Pero no ilumina casi nada… es azul…

Lucía: No, no es azul, ¡es luz negra!

Marta: ¿Cómo que luz negra?

Lucía: Como la de las discotecas…

Xacobe: Como la de CSI. La usan los policías para encontrar manchas de sangre y cosas así, que no se ven a simple vista.

Lucía: ¡Eso es, Xaco! Debe haber un mensaje oculto en algún sitio. Debemos usar la linterna para encontrarlo. Por eso se apagó la luz.

Vocabulario

la luz light
la oscuridad darkness
la sangre blood
la vi apenas entramos I saw it as soon as we came in
por eso that's why

64. EL MENSAJE EN LA OSCURIDAD

Lucía toma la linterna y comienza a iluminar todas las superficies de la habitación. Miran en las paredes, en el suelo, en el techo.

Lucía: No veo nada… ¿Vosotros?

Marta: Aquí, por aquí creo que vi algo. Vi algo que brillaba… en la mesa donde están todos los papeles.

Lucía: Aquí, sí, ¡es cierto! ¡Venid! ¡Ayudadme a mover todo esto! ¡Cuidado con el cenicero! Ya está.

Xacobe: ¿Qué significa eso?

Marta: Ni idea.

Lucía: Maldición, es otro acertijo, esto aún no acaba… ¿alguna idea?

Xacobe: Mmm… no.

Marta: Ni idea, yo con los números no soy buena.

Lucía: Voy a anotarlo en el grupo para ver si alguien puede ayudarnos a descifrarlo.

Vocabulario

la superficie surface
brillar to shine
¿alguna idea? any idea?

65. WHATSAPP DE LUCÍA

Participantes de la conversación: Lucía, Jordi, Sandra, y Xacobe. El chat se titula "Atrapados".

Lucía:
¡Hemos encontrado otra pista! ¿Vosotros seguís a oscuras?

Jordi:
¡Sí! Realmente no estoy disfrutando esto para nada...
En fin, ¿qué dice la pista?

Lucía:
Dice...

a 1

café 15

alma 17 daba...

Sandra:
No tiene mucho sentido, ¿verdad? ¿Alma daba café? ¿Y qué son los números?

Jordi:
Evidentemente, hay un número por cada palabra. Si 1 es el número de A, 15 es el número de CAFÉ y 17 el número de ALMA. Hay que encontrar el número de DABA.

Lucía:
Mmm, dadme un segundo, voy a probar algo…

Jordi: ¿
Qué?

Lucía:
A ver, si la letra A es 1, entonces quizá la B es 2 y la C es 3, ¿no?

Jordi:
Sí, pero ¿cómo café es 15?

Lucía:
Sumando todos los dígitos de cada letra. La c es 3, la a es 1, la f es 6 y la e es 5. La suma es…

Xacobe:
¡¡15!!

Vocabulario

¿vosotros seguís a oscuras? are you still in the dark?
disfrutar to enjoy
alma soul
para nada at all

66. WHATSAPP DE MARTA

Participantes de la conversación: Marta, Jordi, y Xacobe. El chat se titula "Atrapados".

Marta:
Lucía se ha quedado sin batería.

Jordi:
Oh, ¡qué mal! Vale, entonces daba es 4 + 1 + 2 + 1.

Xacobe:
8

Jordi:
Perfecto, chicos, tenéis todos los números.

Xacobe:
Aún no sabemos el orden, pero ya son menos las posibilidades, son solo 24. Podemos probarlas en unos pocos minutos.

Jordi:
Vale, probadlas.
Cuando salgáis, por favor fijaos en el escritorio de Lucas si hay un botón o algo para abrir esta puerta, tiene que haber un mecanismo sencillo. Quizá se abra simplemente con el picaporte, sin nada.

Y por favor, ¡¡tened cuidado!! Quién sabe si ese loco está ahí afuera, quizá tiene alguna otra arma además de esa pistolita de agua.

Marta:
Lucía dice que vale, que tienes razón.

Jordi:
Genial, ¿cómo va lo de la puerta?

Marta:
Eh… Xaco está dictándole todas las combinaciones de números a Lucía, pero hasta ahora nada…

Jordi:
¿Os quedan muchas?

Marta:
Es que… ya probaron todas y ninguna ha funcionado…

Jordi:
¡¡¡¿Qué?!!!

Vocabulario

quedarse sin batería to run out of battery
en unos pocos minutos in a few minutes
picaporte door handle

67. LAS VEINTICUATRO COMBINACIONES

Xacobe ilumina a Lucía con su teléfono y le dicta nuevamente las 24 combinaciones posibles de los cuatro números que han descubierto con las distintas pistas.

Xacobe: 8762... 8726... 8672... 8627... eso es todo, ¿nada?

Lucía: ¡Nada! No funciona... ¡Hemos hecho algo mal!

Marta: ¿Qué puede ser?

Lucía: No sé... el de la mesa es bastante claro, el del cenicero también, el del espejo también.

¿Quizá contamos mal los minutos del reloj? Quizá no era eso, quizá era otra cosa.

Marta: No lo sé...

Lucía: Quizá alguien nos ha encerrado desde afuera...

Marta: Jordi está pesado, pregunta qué sucede, si ya estamos afuera.

Lucía: A ver, préstame tu teléfono un minuto, porfa.

Marta: Vale, ten.

Vocabulario

distinto different
contar to count
prestar to lend
ten here (when handing something over to someone)

68. WHATSAPP DE MARTA

Participantes de la conversación: Lucía, Jordi, y Sandra. El chat se titula "Atrapados".

Marta:
Soy Lucía, Jor. No funciona ninguna de las 24 combinaciones. Tenemos algo mal…

Jordi:
¡¡Maldición!!

Sandra:
Creo que ya sé cuál puede ser el problema. ¿Qué números eran?

Marta:
2, 6, 7 y 8.

Sandra:
¡Eso es! Quizá el 6 sea un 9. Quizá lo estabais viendo al revés.
¿Dónde es que lo visteis?

Marta:
En el espejo, pero no puede ser porque estaba escrito con números romanos...

Sandra:
Oh…

Marta:
¡Pero tienes razón!

Sandra:
¿A qué te refieres?

Marta:
Lo vimos al revés… la pista decía "que tu aliento vea su reflejo" ... quizá el número también era un "reflejo". ¿Comprendéis?

Sandra:
¿O sea?

Marta:
¡¡Era un 4!! El seis en números romanos es VI, ¡el cuatro es IV!

Jordi:
¡¡Probad las combinaciones con ese número!!

Vocabulario

¡eso es! that's it!
al revés the other way around

69. EL NÚMERO CORRECTO

Xacobe, llevando el registro en su teléfono, dicta a Lucía las 24 combinaciones posibles con el nuevo número.

Xacobe: 7824… 7842… 7482…

Lucía: ¡Eso es! ¡La puerta se ha abierto!

Marta: ¡Sí! ¡Al fin!

Lucía: Vamos, salgamos de una vez… ¡Jordi! ¡Jordi! Lo hemos logrado, ¡aquí estamos!

Jordi: ¡Qué bien, mi amor! Intenta abrir nuestra puerta, ¿puedes hacerlo?

Lucía: Sí, claro… A ver… ¡Funciona!

Jordi: Oh, dios, ¡al fin puedo abrazarte!

Laura: Ya no aguantaba un minuto más ahí dentro.

Sandra: Bueno, tampoco has hecho demasiado para ayudarnos a salir, ¿verdad?

Lucía: Bueno, basta de tonterías. Vamos a buscar a Pedro.

Vocabulario

llevar un registro to keep track
¡al fin! finally!
abrazar to hug
basta de tonterías enough of this nonsense

70. WHATSAPP DE JORDI

Pedro habla con Jordi. El chat se titula "Pedrito".

Jordi:
Pedro, ¿estás ahí? Ya hemos salido.

Pedro:
Estoy aquí… ¡Los ha oído! Incluso yo os he oído. ¡¡Os había dicho que no hicierais mucho ruido!!

Jordi:
Oh, lo lamento, estábamos contentos de salir.

Pedro:
Tened cuidado, ha salido de la terraza. No sé a dónde ha ido, pero quizá esté bajando.

Jordi:
¿¿Está armado??

Pedro:
¡¡Sí!!

Jordi:
¿Deberíamos llamar a la policía?

Pedro:
¡¡¡NOOOO!!! Por Dios, no llaméis a la policía, te lo ruego,

Jordi, luego te explicaré por qué.

Jordi:
¡Lo oigo! Está bajando.

Pedro:
¡Esconderos!

Vocabulario

el ruido noise
¿está armado? is he armed?
¡esconderos! hide!

71. LAURA SE QUEDA AFUERA

Mientras Jordi habla con Pedro por teléfono, comienzan a oírse pasos que bajan por la escalera. Hablan en susurros.

Lucía: Rápido, entremos en nuestra habitación. ¡Conocemos la clave para salir!

Laura: ¡Yo no pienso entrar ahí dentro!

Jordi: Laura, por favor, este tipo está armado, podría ser peligroso.

Laura: Me esconderé en otro sitio, iré a la calle, no me importa.

Marta: Chicos… los pasos están muy cerca…

Lucía: Rápido, Jordi, cierra la puerta de la habitación donde estabas tú. Por suerte la luz sigue apagada y el tipo si se asoma, no podrá ver nada. El resto entremos aquí, sin hablar.

Jordi: Laura, ¿vienes?

Laura: No. Me voy a esconder en el baño de damas. Y si me atrapa y me mata, pues bueno.

Jordi: Vale, como quieras, tenemos que cerrar la puerta…

Vocabulario

susurros whispers
¡yo no pienso entrar ahí dentro! I am not going in there!
no me importa I don't care
por suerte luckily

72. EL GRITO DE LAURA

Laura sale corriendo hacia los baños. Lucía, Jordi, Xacobe, Sandra y Marta están en la oscuridad dentro de la sala de escape. No hacen ruido. Oyen atentamente los pasos del hombre que baja las escaleras y avanza por el corredor.

Marta: Ya está aquí junto, seguramente…

Lucía: Espero que Laura haya tenido tiempo de esconderse bien…

Jordi: Shhh… escucho voces…

Lucía: Yo también, pero no logro entender lo que dicen.

Jordi: Parece una discusión, ¿crees que el hombre ha encontrado a Laura?

Laura: ¡¡¡AHHHHHHHHHHHHHHHHHHHH HHHHHH!!!

Lucía: Oh, Dios mío, ¡has sido ella! Hay que salir a ayudarla.

Jordi: ¿Cómo era la combinación?

Lucía: Eh, Xaco, cómo era la combinación.

Xacobe: Un momento, la tengo anotada en mi teléfono…

Lucía: Vamos, vamos, ¡puede estar herida!

Laura: ¡AAAAAAAAAAAAAAAAAAAAHHHHH!

Vocabulario

atentamente attentively
avanzar to advance
¡puede estar herida! she may be injured!

73. ¿DÓNDE ESTÁ LAURA?

Tras el segundo grito, todos se quedan paralizados. Finalmente, después de unos segundos, se oyen pasos que suben nuevamente por la escalera de la terraza.

Lucía: Xaco, ¡LA COMBINACIÓN!

Xacobe: Perdón, perdón, ¡aquí está! Siete, cuatro, ocho, dos.

Lucía: Siete… cuatro… ocho… dos… ¡Vamos!

Jordi: ¡Laura! ¡Laura! ¿Dónde estás? ¿Estás bien? Lu, entra tú en el baño de damas para ver si está ahí.

Lucía: Jordi, ¿es broma? ¿No sabes si tu amiga se está muriendo y aun así no te atreves a entrar en un baño de damas?

Jordi: Oh, sí, lo siento… Laura, ¿estás aquí? No hay nadie…

Lucía: ¿Dónde se habrá metido? ¡¿Laura?!

Jordi: Lucía, no grites o el tipo bajará de nuevo. **Lucía:** ¡No me importa! ¡Qué baje!

Marta: Ehm, chicos… ¿qué es eso?

Vocabulario

tras after
se está muriendo she's dying
aun así even so
atreverse to dare

74. LAS MANCHAS DE... ¿SANGRE?

Marta señala algo que está en el piso del baño. Todos se acercan y miran qué es. Son unas gotas rojas que salpican el piso y parte de la pared. Parecen frescas.

Lucía: Dios santo, ¿creéis que…? ¿Creéis que es sangre?

Jordi: Oh, Dios mío. Eso parece, ¿no?

Xacobe: Quizá tenemos que comprobarlo… olerla… o…

Jordi: ¡Pues yo no voy a tocar eso! Me da impresión la sangre… De hecho, no me estoy sintiendo muy bien, voy a sentarme…

Lucía: Jordi, Jor, ¿estás bien? Ven, vamos a sentarnos un segundo...

Sandra: ¿Crees que sea sangre?

Xacobe: Puede ser, sí, ¿qué va a ser, si no? ¿Ketchup?

Sandra: Dudo que ese hombre haya venido a atacar a Laura con una botella de ketchup…

Marta: ¿Qué hacemos ahora?

Sandra: Vamos a ver si Jordi se ha desmayado y luego decidiremos entre todos qué hacer.

Xacobe: Vale.

Vocabulario

señalar to point
las gotas drops
salpicar to splash
frescas fresh
comprobar confirm, verify
desmayarse to faint

75. WHATSAPP DE JORDI

Jordi habla con Pedro. El chat se titula "Pedrito".

Pedro:

Jordi, el tipo acaba de bajar, espero que seáis tan inteligentes como para haberos escondido. En fin, ¡¡con Lucas hemos pensado un plan!!

El plan es este. Tenéis que buscar cosas para poder golpearlo. Coged todo lo que podáis de las salas de escape. No sé… botellas, palos, cosas pesadas.

El tipo nos tiene amenazados con matar a mi primo. Pero cuando vosotros subáis, yo voy a intentar tumbarme sobre Lucas para protegerlo.

¿Podéis hacer eso?

Vale, creo que está regresando, voy a esconder el teléfono nuevamente.

¡¡¡Suerte!!!

Vocabulario

pesado heavy
voy a intentar tumbarme sobre Lucas I will try to cover Lucas
para protegerlo to protect him

76. TELEGRAM DE JORDI

Jordi habla con Julieta. El chat se titula "Julieta N."

Julieta: Hola, Jordi, lamento molestarte nuevamente. Solo quería avisarte que… ¡¡¡está listo!!! 🤩🤩🤩 Mira, te envío una fotografía.

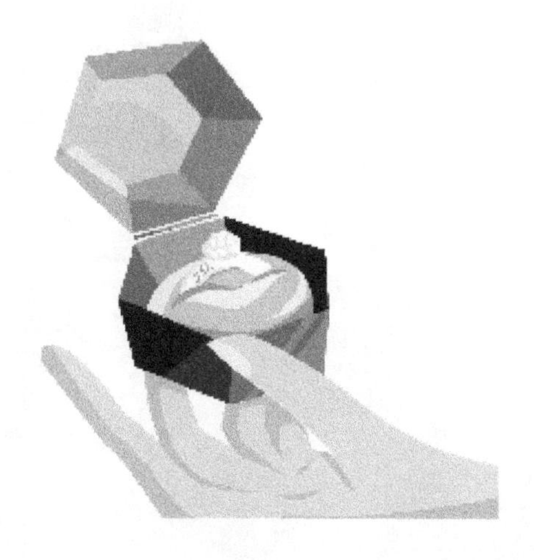

He estado trabajando hasta recién en los últimos detalles y ya está listo. Incluso compré una bella cajita para que se lo des.

Si te pregunta, recuerda que es oro rosa, una aleación de oro, cobre y plata que hace que el metal tenga ese color tan particular.

Y bueno, el trabajo de las letras es 100% artesanal. 😉

Vale, debes estar ocupado, no te molesto más, ¡hablamos luego! Abrazo.❤❤

Vocabulario

molestar to bother
oro gold
aleación alloy
cobre y plata copper and silver
artesanal handcrafted

77. JULIETA N.

Dentro de una de las salas de escape, Lucía le echa aire a Jordi con un libro. Él está muy pálido.

Lucía: Realmente eres un bebé con el tema de la sangre…

Jordi: Lo sé… No puedo evitarlo. Lu, hazme un favor. Mi teléfono ha estado vibrando. Podría ser Pedro. ¿Podrías ver quién me ha escrito?

Lucía: Sí, tienes algunos mensajes de Pedro de hace un rato… pero la que te escribía recién era una tal… Julieta N.

Jordi: ¡No veas esos mensajes!

Lucía: Jordi… ¿qué dices? ¿Ella es con la que hablabas hoy más temprano, cuando ocultabas tu teléfono para que no viera la conversación?

Jordi: Eh… sí.

Lucía: Espera un momento… Dios mío… ¿Estabas hoy con esta chica cuando me dijiste que estabas en la biblioteca?

Jordi: Lu… ¿por qué haces todas estas preguntas? Tú no eres celosa.

Lucía: No, normalmente no, pero por primera vez… ¡veo que me guardas un secreto!

Jordi: Vamos a buscar a Laura, puede ser que esté mal.

Lucía: ¡No! Dime ya mismo qué hay entre tú y esta chica.

Vocabulario

le echa aire con un libro She fans (his face) with a book
pálido pale
no puedo evitarlo I can't help it
era una tal Julieta it was somebody named Julieta
para que no viera so that I couldn't see
celosa jealous

78. EL ANILLO

Jordi, muy enfadado, toma su teléfono, abre la conversación con Julieta y se la muestra a Lucía, que la lee.

Lucía: Jordi… ¿qué es...? ¿Quién es…?

Jordi: Es una compañera de la universidad. Ella también estudia diseño industrial, pero no hace diseño de muebles como yo, sino que se dedica al diseño de joyas.

Lucía: Oh, ya veo.

Jordi: Es realmente buena. Su familia tiene una joyería. Entonces, como se acerca nuestro aniversario, se me ocurrió, bueno… iba a ser una sorpresa.

Lucía: Oh, Jordi, lo lamento tanto. ¡Es que nunca antes me habías ocultado algo! Me pareció tan terrible ver cómo me mentías…

Jordi: Lo sé, soy muy obvio cuando miento, ¿verdad?

Lucía: Eres el peor mentiroso del mundo.

Jordi: Lo sé… En fin, ¿te ha gustado?

Lucía: ¿El anillo? Oh, Jordi, ¡es hermoso! Me encanta el color, el diseño, todo.

Jordi: Lu… ¿puedo decirte algo?

Lucía: Claro…

Jordi: Deberíamos ir a ver si Laura está bien.

Vocabulario

el anillo the ring
las joyas jewelry
es que it's just that (to give an explanation)
el peor mentiroso del mundo the worst liar in the world
el diseño design

79. EL PLAN

Sandra, Xacobe y Marta entran en la habitación donde están Jordi y Lucía. Parecen preocupados.

Marta: ¿Ya acabaron de discutir?

Lucía: Perdón, chicos, era una tontería, deberíamos ir a ver si Laura y Pedro están bien…

Jordi: ¡Pedro! Me había enviado un mensaje. Lo había olvidado… A ver qué dijo… Oh…

Lucía: ¿Qué dijo?

Jordi: Me escribió cuando el hombre encapuchado bajó y se llevó a Laura… Dice que él y Lucas pensaron un plan… Dice que tomemos objetos contundentes para golpearlo y que subamos todos juntos a la terraza… Dice que, cuando entremos, él se arrojará sobre Lucas para protegerlo de la pistola de caldo de mariscos.

Xacobe: ¿Golpearlo? ¿Vamos a atacar a ese loco? ¿Y si tiene un cuchillo?

Jordi: Vamos, somos cinco contra uno. ¡Podemos hacerlo! Además… creo que no tenemos opción.

Vocabulario

la tontería silly thing
cuando se llevó a Laura when he took Laura
los objetos contundente blunt objects
se arrojará sobre Lucas he will throw himself on Lucas

80. LAS ARMAS

Entonces, todos se ponen a revolver las salas de escape, viendo qué objetos pueden usar para golpear al hombre encapuchado que tiene secuestrados a Pedro, Lucas y Laura en la terraza. Mientras, Marta busca algo en el exterior.

Lucía: ¿Qué haces, Marta?

Marta: Busco algo… Oh, aquí está.

Lucía: Oh, ¡has encontrado el interruptor de la luz! Así está mucho mejor. Bueno, a ver qué podemos llevar como arma. Las botellas de vidrio sin duda podrían funcionar.

Sandra: Quizá uno de estos libros… No, no son muy pesados… Creo que están huecos.

Xacobe: ¡Ya sé! La manito… La barra de la cortina. Quizá puedo usar el mecanismo para quitarle el cuchillo al tipo ese sin acercarme.

Lucía: Ja, ja, ja, ja, ¡Xacobe! ¿Cómo piensas hacer eso? Es… es imposible… se tendría que quedar muy quieto por un buen rato.

Xacobe: Oh, es cierto… Pero puedo usarlo para golpearle la cabeza.

Lucía: Sí, eso sí.

Marta: Yo llevaré esta lámpara.

Jordi: Yo llevaré este cenicero de cristal. Realmente es muy pesado.

Lucía: Yo creo que usaré esta banqueta de madera, es grande y pesada.

Jordi: Vale, ¿estamos listos? ¡Vamos!

Vocabulario

mucho mejor much better
la manito little hand
se tendría que quedar muy quieto he would need to stand very still
banqueta de madera wooden stool

81. LA PUERTA CERRADA

Todos se acercan a la puerta de la escalera, cargando sus armas. Apenas caben por el corredor.

Xacobe: Un momento, ¡yo no quiero ir adelante de todo!

Jordi: Yo tampoco debería ir adelante. Si veo algo de sangre, puedo desmayarme.

Lucía: Vale, vale, yo iré adelante. Sandra y Marta, id detrás de mí. Los muchachos atrás.

¿Vale? Voy a abrir la puerta. Luego, todos correremos arriba lo más rápido posible.

Seguramente haya otra puerta. ¡No me aplastéis! Cuando salgamos a la terraza, tened vuestras armas en alto.

Marta: ¿Estamos listos?

Jordi: Sí. **Xacobe:** Sí.

Sandra: Sí.

Lucía: Vamos, entonces. A la una… a las dos y a las…. ¡TRES! ¡Ay! Auch, no me aplastéis que la puerta no abre. ¡Ay! ¡Jordi! Ya deja de empujar. La puerta está cerrada.

Sandra: A ver, déjame intentar.

Lucía: Está cerrada con llave.

Sandra: Sí, es cierto. No abre.

Marta: ¡Maldición! ¿Qué hacemos ahora?

Lucía: Pues vamos a buscar la llave. ¡Vamos! Ahora. ¡Todos a buscar la llave!

Vocabulario

cargar to carry
caber to fit
aplastar to crush
deja de empujar stop pushing
¡todos a buscar la llave! let's look for the key!

82. UN ACERTIJO

Cuando Lucía da la orden, todos se reparten por el corredor y el mostrador de la recepción para buscar la llave. Xacobe se mete tras el escritorio de recepción y abre un aparador.

Xacobe: Aquí, chicos. ¡He encontrado algo!

Lucía: ¿Es la llave de la puerta de la escalera?

Xacobe: Pues no lo sé, es un tablero con muchas llaves. A ver... Tienen llaveros con etiquetas. Esta dice "sala 1", "sala 2", "puerta trasera", esta parece la llave de una motocicleta...

Jordi: El primo de Pedro tiene una motocicleta, debe ser de él.

Lucía: ¿La llave de la escalera no la ves?

Xacobe: ¡Aquí! ¡Aquí hay un llavero que dice "escalera"!

Lucía: Genial, dame la llave.

Xacobe: No, no... solo está el llavero... No hay llave. Dice escalera y del otro lado alguien ha escrito algo. Oh no...

Lucía: ¿Qué? A ver... Déjame ver... Oh no... Un acertijo. Esto no termina nunca.

Vocabulario

repartirse divide up
el mostrador the counter
el aparador sideboard
el tablero board

83. WHATSAPP DE JORDI

Jordi habla con Pedro. El chat se titula "Pedrito".

Jordi:
Pedro, ¿qué demonios? No podemos subir. No está la llave de la escalera. En cambio, hay un acertijo en el llavero. ¿Tú hiciste eso?

Pedro:
Jordi, no puedo hablar mucho, él está aquí. Justo ahora no me está mirando, pero si me ve…

Jordi:
¿¿Hay otra forma de subir??

Pedro:
Debéis encontrar la llave para subir… tiene que ser cuanto antes… No podemos esperar más… Ya son las diez y media, esto se va a poner feo.

Jordi:
Pero Pedro, ¡la llave no está! Hay un acertijo y no estamos de humor para seguir jugando a Sherlock Holmes. Voy a llamar a la policía.

Pedro:
NO, POR LO QUE MÁS QUIERAS, NO LO HAGAS. No sabes lo que podría suceder. Sería el fin…

Jordi:
Vale, pero…

Pedro:
Jordi, está viniendo. Me ha visto. Jordi, deben subir…

Jordi:
¿¿Pedro?? ¿Pedro?
¿Estás ahí? ¿Estás bien?

Pedro:
Tu amigo está bien… por ahora. Encontrad la llave en menos de diez minutos o tus amigos sufrirán las consecuencias.

Jordi:
Pero ¿por qué haces esto? ¿Por qué no nos dejas ir? O, si quieres que subamos, ¿¿por qué no abres tú la puerta?? ¿Qué quieres? ¿Dinero? ¿Quieres jugar con nosotros?

Pedro:
Pronto comprenderás todo. Encontrad la llave y subid. Os estaré esperando.

Vocabulario

¿hay otra forma de subir? is there another way up?
se va a poner feo this is going to get ugly
no estamos de humor we are not in the mood
por lo que más quieras for God's sake
sufrir suffer

84. UNA NUEVA BÚSQUEDA DEL TESORO

Jordi baja el teléfono y lo guarda en su bolsillo. No entiende nada de lo que está sucediendo. El resto lo miran en silencio.

Jordi: Este tipo está chalado.

Lucía: ¿Pedro?

Jordi: No… el tipo de la capucha. Le quitó el teléfono a Pedro y me dice que debemos encontrar la llave y subir, que nos estará esperando.

Sandra: Pero si quiere que subamos, ¿por qué no nos da la llave? ¿Para qué quiere que resolvamos una búsqueda del tesoro?

Jordi: Como decía, está loco. Creo que solo quiere jugar con nosotros. Espero que no esté haciendo nada raro con los chicos ahí arriba, porque está loco.

Lucía: Seguramente sea un bromista pesado, algún amigo de Pedro. Es el tipo de cosas que haría Pedro, siempre con sus bromas y sus acertijos. Seguramente le ha hecho una broma pesada a este tipo y ahora se está vengando.

Jordi: ¿Sabes qué? Creo que eso es lo más sensato que he oído hoy. Tiene sentido. De todos modos, quizá sea un loco.

Lucía: ¿Qué queréis hacer?

Marta: Tenemos que encontrar la llave. Salir de aquí no es una opción.

Lucía: ¿A qué te refieres?

Marta: Acabo de probar la puerta de entrada. Está cerrada también.

Jordi: Cuando lo vimos pasar corriendo por el corredor más temprano, seguramente bajó a cerrar las puertas y a esconder la llave. Vale… ¿qué dice la pista del llavero?

Vocabulario

la búsqueda search
este tipo está chalado this guy's crazy
el bromista jokester
vengarse take revenge
sensato sensible, wise

85. ¡HÁGASE LA LUZ!

Todos se amontonan alrededor de Lucía, que sostiene el llavero sin llave. En uno de los lados del llavero, dice "Escalera". Del otro lado, hay un texto escrito a mano.

Lucía: Dice *Es lo primero que Dios necesitó cuando creó el mundo.*

Jordi: ¿Dios? Ehm… No sé, superpoderes, tiempo, magia…

Xacobe: No tengo idea. ¿Alguno de vosotros fue a Catequesis de pequeño?

Marta: ¡Sí! Yo… A ver… Dejadme pensar… Viejo testamento, la creación del universo. Lo primero que necesitó Dios fue… ¡Luz! Lo primero que Él dijo fue *Hágase la luz.*

Lucía: Claro, luz. Muy bien, Marta. Entonces… la llave debe estar en una lámpara. ¡Todos a revisar las lámparas!

Jordi: Vale… No os queméis, que los focos pueden estar calientes.

Lucía: Los de las salas de escape deben estar fríos, porque estuvieron apagados un buen rato.

Marta: ¡Eso es! Cuando encendí las luces hace un rato, noté que el interruptor estaba un poco suelto.

Lucía: A ver, vamos a verlo... Sí, es cierto, parece que está suelto. Tal vez le falta un tornillo. Voy a intentar sacarlo...

Jordi: Cuidado, no toques los cables...

Lucía: ¡Aquí! Hay otro papel.

Jordi: ¡Maldición!

Vocabulario

¡hágase la luz! let there be light!
todos se amontonan alrededor de Lucía they all crowd together around Lucía
a mano by hand
quemarse to burn oneself
los focos light bulbs
suelto loose
el tornillo screw

86. UNA PISTA SUCIA

Dentro del interruptor de la luz, han encontrado una nueva pista. Lucía la sostiene en sus manos. Todos se acercan para leerla.

Lucía: Dice *La próxima es una pista sucia. ¡No la limpiéis! Se arruinaría.*

Jordi: ¿Y qué quiere decir eso?

Xacobe: Mmm... sucio, limpio... ¿hay algo con lo que se pueda limpiar por aquí? ¿Una escoba, una bayeta, un balde de agua y jabón? ¿Veis algo?

Jordi: No, no veo nada por el estilo.

Lucía: Debe haber jabón en el baño... ¡Vamos!

Jordi: Yo no puedo entrar ahí...

Lucía: Jordi, ¡ya te he dicho que no pasa nada si entras en el baño de damas! ¡No hay nadie!

Jordi: No, no es por eso... Por la sangre. Solo con recordarlo... ya me siento mal.

Lucía: ¡Dios mío! Vamos, el resto vamos a buscar en el baño...

Sandra: ¿Qué querrá decir con que si lo limpias se arruina?

Marta: Quizá porque es de papel, si le pones jabón o agua se arruina...

Lucía: Buscad en los sitios donde hay agua y jabón, en el inodoro, en el dispensador de jabón, en los... ¡grifos! Ahí, en el grifo, ¡mirad!

Vocabulario

sucia dirty
arruinarse to be ruined
la escoba broom
la bayeta cleaning cloth
el balde bucket
no veo nada por el estilo I don't see anything like that
el grifo water tap, faucet

87. EL DINERO

Lucía señala uno de los grifos del baño. Desde dentro del grifo, asoma un rollito de papel. Se acerca corriendo y lo saca.

Lucía: Por suerte nadie abrió el grifo, se podría haber arruinado. ¿Cómo estamos de tiempo?

Marta: Nos quedan cinco minutos, ¡espero que no haya muchas pistas más por resolver!

Sandra: ¿Qué dice?

Lucía: Dice *Puede romper amistades, crear imperios y romper la moral del hombre más santo.*

Marta: ¡Lo sé! ¡Lo sé! ¡El amor!

Lucía: Marta, ¿qué dices?

Sandra: Claramente, es el dinero.

Marta: Ah, vale, sí, también puede ser.

Lucía: Debe ser la caja registradora, bajo el mostrador. ¡Vamos!

Sandra: ¿Y si está cerrada?

Lucía: Normalmente tienen un pequeño botón abajo para abrirlas. Lo aprendí cuando trabajaba en una tienda de ropa. Ven, te mostraré. Ayúdame a levantarla. Aquí…

Sandra: ¡Qué bien! ¡Se ha abierto!

Xacobe: ¿Estáis buscando dinero?

Lucía: No, no hay nada de dinero aquí. Solo hay... ¡esta pista!

Xacobe: Genial, ¿qué dice?

Lucía: Pues espero que diga dónde está esa maldita llave porque estoy a punto de abrir esa maldita puerta a patadas.

Vocabulario

asomar to stick out
¿cómo estamos de tiempo? how are we doing on time?
la amistad friendship
el imperio empire
claramente clearly

88. INFORMACIÓN

Lucía acerca la nueva pista a sus compañeros para que todos puedan leer lo que dice.

Lucía: Vale, la nueva pista dice *No os voy a decir dónde debéis buscar; para saberlo, debéis buscar más información.*

Marta: Eso no nos dice mucho…

Sandra: Buscar información… ¿cómo googlear?

Jordi: No creo… debe ser algo aquí, algo físico.

Sandra: ¿Cómo buscaba información la gente antes de internet? Quizá sea un libro, una enciclopedia, ¿alguno de los libros que estaban dentro de las salas de escape?

Lucía: No puede ser. Nosotros estábamos ahí dentro. ¿Cuándo podría haber metido la pista este loco?

Sandra: Vale, entonces tiene que ser algo de aquí fuera. Pero no hay libros… Solo están esos folletos en el mostrador.

Jordi: ¡Eso es! Son folletos *informativos*. ¿Verdad? La llave debe estar ahí dentro.

Lucía: Vamos a ver. Tomad todos un folleto y fijaos si veis algo.

Xacobe: Vale… aquí no hay nada.

Sandra: Yo tampoco veo nada.

Marta: No, aquí no hay nada.

Jordi: ¡Aquí! ¡Encontré algo!

Lucía: ¿La llave?

Jordi: Claro que no... Por supuesto, es otra pista.

Vocabulario

acercar to move closer
los folletos leaflets, pamphlets
¿cuándo podría haber metido la pista este loco? when could this madman have put the clue in the room?

89. ¡SALUD!

Jordi lee la pista que encontró dentro de uno de los folletos del mostrador, mientras todos lo miran. Parece algo confundido.

Jordi: ¿... una copa?

Lucía: Ya, Jordi, lee la pista. ¿Qué dice?

Jordi: Oh, lo siento. Dice *Ya estáis a punto de llegar a la llave, ¡celebrad con una copa!* No comprendo, nos dice que celebremos pero no dice dónde está la llave.

Lucía: ¿Una copa? ¿Veis alguna copa por algún sitio?

Xacobe: No, no hay ninguna copa.

Marta: Aquí hay una taza…

Lucía: ¿Tiene algo dentro?

Marta: No… un poco de café, pero nada más.

Sandra: Ahí, detrás del mostrador, hay una botella de vino.

Lucía: ¡Debe ser eso! Quizá la siguiente pista está pegada en la etiqueta.

Sandra: A ver… No, no hay nada. Pero está abierta. Se nota que ya ha sido descorchada y luego la han vuelto a tapar. Sin embargo, está llena.

Lucía: Debe haber algo dentro… Pero no puede ser una pista en un trozo de papel, porque se habría arruinado con el vino.

Sandra: Tiene que ser la llave, entonces.

Jordi: ¡Al fin! Entonces, ¿qué? ¿Tenemos que beber el vino? **Lucía:** Jordi… Podemos simplemente echarlo en el baño…

Jordi: Ah, sí, también...

Vocabulario

¡salud! cheers!
a punto de about to
descorchada uncorked
tapar to cover
botar to throw away

90. LA LLAVE DE LA ESCALERA

Van al baño, donde Lucía vacía la botella en el lavamanos. De pronto, cae de la botella una llave. Es una pequeña llave de hierro. Lucía la lava con agua.

Lucía: ¡Listo! La tenemos.

Sandra: ¿Qué hacemos ahora?

Lucía: Pues subimos, ¿qué vamos a hacer?

Sandra: No sé... hay algo que no me cuadra... Ese tipo nos está esperando... tiene a nuestros amigos de rehenes... hay olor a humo por todos lados... Tengo miedo de que sea una trampa de algún tipo.

Lucía: Vale, entonces haremos esto... Escribimos al teléfono de Pedro, como hizo Jordi antes. Le hacemos creer que vamos a subir desarmados, pero subimos listos para darle una paliza entre los seis, ¿sí?

Sandra: ¿Y si tiene algo? ¿Un arma? ¿Alguna sorpresa desagradable?

Lucía: Jordi y Xacobe se quedarán atrás. Si ven que la situación está complicada, llamarán a la policía.

Jordi: Pero eso no está bien, soy el más fuerte de todos...

Lucía: Sí, pero te baja la presión si ves una gota de sangre.

Jordi: Vale, vale, tienes razón. Bueno voy a escribirle...

Vocabulario

caer to fall
algo no me cierra something doesn't add up
los rehenes hostage
por todos lados everywhere
te baja la presión your blood pressure goes down

91. WHATSAPP DE JORDI

Jordi habla con el hombre encapuchado. El chat se titula "Pedrito".

Jordi:
Hola, eh... señor encapuchado.

Ya tenemos la llave, vamos a subir, no haga daño a nuestros amigos.

Pedro:
Vale, subid.
Venid sin nada, con las manos en alto.

Jordi:
Sí, sí, perfecto.

Pedro:
Nada de trucos. Al final de la escalera hay una puerta. Abridla lentamente y salid todos con las manos en alto. Avanzad lentamente.

Jordi:
Vale, entendido.
Nuestros amigos están bien, ¿verdad?

Pedro:
Sí, claro.

Jordi:
¿Podemos ver una foto?

Pedro:
Eh… Sí, claro.
Dame un segundo.

Jordi:
Vale, ahora mismo subiremos.

Vocabulario

hacer daño to hurt
nada de trucos no tricks
con las manos en alto with your hands up

92. LA FOTO

Jordi muestra a todos la foto que le acaba de enviar el hombre.

Jordi: Ese maldito los tiene atados… ¿Qué es lo que quiere? ¿Creéis que va a atarnos a nosotros también?

Lucía: No, porque vamos a partirle esto en la cabeza.

Jordi: Cuidado con ese cenicero, Lu, pesa mucho.

Lucía: Vale, todos agarrad vuestras armas. Llevadlas tras la espalda y, cuando estemos en la terraza, alzadlas.

Sandra: Vale, yo estoy lista.

Marta: Yo también.

Lucía: ¿Vosotros estáis listos?

Xacobe: Sí…

Jordi: Completamente listo.

Lucía: Vale, venid todos detrás de mí… A la cuenta de tres abro la puerta y subimos la escalera. Luego, cuando abra la puerta de arriba, haced lo que dije. ¿Está claro?

Jordi: Oído, jefa.

Lucía: Créeme que no es momento para bromas, mi amor. Vale… Estoy abriendo la puerta. La llave entra. Vamos, ¡arriba!

Vocabulario

vamos a partirle esto en la cabeza we are going to smash this in your head
agarrar to grab
alzar to raise
a la cuenta de tres on the count of three
la jefa boss (f.)

93. LO QUE HABÍA EN LA TERRAZA

Todos avanzan por la escalera hacia arriba, con sus armas detrás de las espaldas. Cuando llegan arriba de todo, Lucía los mira y susurra.

Lucía: OK, voy a abrir la puerta lentamente. Cuando esté abierta, todos salimos corriendo con las armas en alto… A la una…. A las dos… y a las… ¡TRES! ¡AHORA!

Lucía, Sandra, Marta, Jordi y Xacobe: ¡¡¡¡¡¡¡¡¡AAAAAA AAAAAAAHHHHH!!!!!!!!!!

Laura, Lucas, Pedro y Martín: ¡¡¡¡¡AAAAAAAAAAAA AAAHHHHHHHH!!!!! ¡¡¡SORPRESAAA!!!

Lucía: ¡¿Sorpresa?! ¡¿Qué sucede aquí?! ¿Qué hacéis tan cómodos sentados a la mesa? Pensábamos que estabais atados en el piso.

Pedro: Estamos más cómodos en la mesa, la barbacoa ya está lista.

Lucía: ¿La qué?

Pedro: La barbacoa sorpresa, por supuesto.

Lucía: Pedro, si esta era una de tus bromas, te juro que te voy a matar. ¿Cómo se te puede ocurrir que esto es gracioso?

Martín: Pues a mí me parece gracioso…

Lucía: ¿Y quién demonios eres tú?

Martín: Ah, soy el de la capucha… Oye, no me mires así, fue todo idea de Pedro.

Vocabulario

cómodo confortable
la barbacoa barbecue
jurar to swear
¿quién demonios eres tú? who the hell are you?

94. LA BARBACOA

Un rato después, están sentados todos a la mesa. Se cubren con mantas y beben vino. La noche es fría pero el cielo está despejado. Lucas se acerca a la mesa con una enorme fuente llena de carne.

Lucas: ¡A servirse cada uno! Hay ensaladas también, si alguno es vegetariano, y cervezas, si alguien no quiere vino. Laura, ¿tienes frío? Aquí cerca de la parrilla está mejor, ¿no quieres sentarte al lado mío?

Laura: No, no. Estoy bien aquí.

Jordi: Ya, no puedo creer que hayáis montado todo eso… Oh, sí, una salchicha para mí, por favor.

Lucía: Jordi, no puedo creer que estés tan sonriente… Esto no te lo perdonaré jamás, Pedro.

¡No puedo creer que nos hayas hecho pasar casi tres horas resolviendo adivinanzas mientras creíamos que estabas en peligro! Eres el peor amigo del mundo… Y tú, Laura, ¿tú estabas en esto desde el principio?

Laura: Sí, claro, ¿habéis visto qué buena actriz que soy? No podéis decir que no tengo futuro en el teatro…

Sandra: ¿O sea que no estás liada con Pedro?

Pedro: ¿Conmigo? ¡Ojalá!

Jordi: Hay algo que no comprendo, Laura... Yo te vi llamar al 911. ¿Cómo sabías que iban a pensar que era una broma?

Laura: Ah... claro. No llamé al 911. Llamé a Pedro. Lo tenía agendado como 911. Mientras planeábamos todo, nuestro mayor miedo era que alguien llamara a la policía y que acabáramos en un problema.

Lucía: Pues créeme que estáis en un problema, porque os vamos a matar.

Vocabulario

cubrirse to cover oneself
las mantas blankets
el cielo está despejado the sky is clear
fuente platter
¡a servirse cada uno! help yourselves!
la parrilla grill
perdonar forgive

95. MOSTAZA

Lucas termina de servir a todos alrededor de la mesa y se sienta a comer. El resto siguen conversando.

Marta: Pues a mí me pareció divertido… Realmente fue excitante descifrar todos esos enigmas y el tema del hombre encapuchado fue muy emocionante.

Pedro: ¡Al fin alguien que aprecia mi trabajo!

Lucía: En serio, Pedro, pensamos que estabais lastimados. ¿Qué fue eso de la sangre y el grito de Laura, por cierto?

Laura: Ah, ese grito no fue actuación, eso fue en serio. Martín vino a buscarme cuando vosotros estabais escondidos en las habitaciones y el muy mezquino trajo una botella de ketchup y me arrojó encima.

Martín: Pensé que un poco de sangre daría dramatismo a la escena…

Laura: Sí, ¡pero ahora me debes una blusa *igual* a esta! ¡Acababa de comprarla!

Martín: Sí, sí, ya te he dicho que te la compraré.

Xacobe: ¿*Yanfespgquehabiabahado*?

Sandra: Ay, Xaco, ¡traga la comida antes de hablar!

Xacobe: Lo siento, es que me estaba muriendo de hambre… Decía que antes, cuando te oímos bajar y pasaste corriendo por el corredor, ¿para qué habías bajado?

Martín: Oh, habíamos olvidado comprar mostaza… Entonces fui corriendo a comprar al supermercado.

Vocabulario

emocionante exciting
lastimado hurt
mezquino mean
arrojar to throw
me debes you owe me
tragar to swallow
morirse de hambre to starve

96. LA PISTA FALTANTE

Lucía sigue enfadada, pero el resto ya parecen bastante tranquilos. Todos comen muchísimo.

Jordi: Vale, vale, tengo otra pregunta. Lucas, ¿realmente eres alérgico a los mariscos?

Lucas: No, para nada.

Jordi: Maldición, ¡hubiera jurado que eso era cierto!

Pedro: Se me ocurrió a mí. Llevo varios días diciéndolo en distintas situaciones.

Jordi: Vale, vale, tengo una última pregunta. Nunca resolvimos el último acertijo de nuestra habitación. ¿Cuál era la pista? ¿Cuál era el número?

Lucas: ¿Cuáles sí resolvieron?

Jordi: Pues resolvimos el de la carta faltante en el mazo, el de las sumas y restas con las nueve botellas y el de la cita de Edipo, el de las tres personas, ¿estaba todo bien?

Lucas: Sí, perfecto. Solo les faltó el cubo Rubik.

Jordi: Yo vi ese cubo Rubik, no tenía nada.

Lucas: En ambas habitaciones había linternas con luz negra. Cuando se cortó la luz, debíais encontrar la linterna y, en vuestro caso, debíais usarla en el cubo Rubik. Ahí estaba el número, pero desordenado. Había que hacer un par de movimientos para armarlo.

Jordi: Oh, ya veo. ¿Qué número era?

Lucas: Un ocho.

Jordi: Realmente es más divertido descubrirlo uno mismo…

Lucas: Lo sé…

Vocabulario

realmente truly
llevo varios días diciéndolo I've been saying it for several days
un par de a couple of
cuando se cortó la luz when the power went out

97. WHATSAPP DE MARTA

Participantes de la conversación: Lucía, Jordi, Sandra y Xacobe. El chat se titula "Atrapados".

"Marta ha eliminado a Laura del grupo"

Marta:
Chicos, soy Lucía… Vamos a vengarnos de Pedro. Marta está de acuerdo. ¿A vosotros os parece bien?

Sandra:
Cuenta conmigo.

Xacobe:
Vale.

Jordi:
No le hagas ningún daño físico, Lu, por favor… pero cuenta conmigo, se lo merece.

Marta:
Vale, en unos minutos, Sandra, excúsate y di que vas al baño. Cuando vayas abajo, toma la llave del tablero de recepción que dice "Sala 2".

Sandra:
Vale.

Marta:
Xaco, tú coge la llave que está sobre la mesa. Está junto a Lucas. Estoy segura de que es la llave de la puerta de entrada...

Xacobe:
Vale.

Marta:
Luego, cuando estemos por irnos, Jordi le dirá a Lucas que quiere ver el cubo Rubik… ¿vale?

Jordi:
Vale.

Marta:
Nos aseguramos de que entren los cuatro, Pedro, Lucas, Laura y Martín, en la habitación y luego, rápidamente, todos salimos y cerramos con llave.

Jordi:
Ja, ja, ja. Es un poco malvado, ¡¡pero se lo merecen!!

Marta:
sí 😈

Vocabulario

cuenta conmigo count me in
el daño físico physical damage
se lo merece he deserves it
cuando estemos por irnos when we're about to go
malvado evil

98. LA VENGANZA

Un rato más tarde, cuando acaban de comer y de levantar la mesa, todos se preparan para marcharse. Bajan las escaleras y comienzan a despedirse.

Jordi: ¡Un momento! Lucas, antes de irnos, ¿podrías mostrarme el cubo Rubik?

Lucas: ¡Claro, ven!

Jordi: ¿Vosotros no queréis verlo?

Lucía: Sí, vamos todos…

Laura: Yo no quiero volver a entrar ahí…

Sandra: Vamos, Laura. De hecho, ¿por qué no nos sacamos todos una foto en la habitación?

Lucía: Excelente idea. Yo no tengo batería, ¿puedes sacarla tú, Marta? Haz una *selfie* para que estés también tú. A ver… Vosotros cuatro ahí atrás, Jordi, tú ven al lado mío… Sandra y Xacobe aquí. Muy bien.

Marta: ¡Sonreíd! A la una… A las dos… Y a las… TRES. ¡AHORA!

Vocabulario

la venganza revenge
despedirse to say goodbye

99. CLARO QUE NO!

Rápidamente, Marta, Lucía, Jordi, Sandra y Xacobe salen de la habitación y cierran la puerta. Sandra saca una llave de su bolsillo y la cierra con llave. A través de la ventanilla de la puerta, ven cómo los demás corren hacia la puerta e intentan abrirla.

Laura: No, no, ¡abrid! No es gracioso.

Lucía: Ah… ¿Ahora no te parece gracioso? Pues a mí está comenzando a hacerme gracia.

Lucas: Vamos, muchachos, ya terminó la broma. Abrid, porfa. De todos modos, no podéis ir a ningún lado, porque no tenéis la llave de la puerta de la calle.

Xacobe: Ah, ¿no? ¿Y qué es esto que tengo aquí?

Lucas: ¡Maldición!

Pedro: Por favor, amigos, les pido disculpas. Lo sé, lo sé, esta vez me he excedido, no debería haberlo hecho. Por favor, ¿me perdonáis?

Lucía: ¿Sabes qué, Pedro? Sí, te perdono.

Pedro: Vale, entonces… ¿abres la puerta?

Lucía: ¡Claro que no!

Vocabulario

está comenzando a darme gracia I'm starting to think it's funny
les pido disculpas I apologize
no debería haberlo hecho I shouldn't have done it

100. UNA PELÍCULA DE TRASNOCHE

Lucía, Jordi, Xacobe, Sandra y Marta van hasta la puerta de entrada. Xacobe usa la llave para abrirla y salen a la calle.

Lucía: Vale, chicos, yo no tengo sueño… ¿qué queréis hacer?

Jordi: Brrr… ¡Hace frío! Entremos a algún sitio. Mmm… Hay un cine cerca de aquí en el que hacen funciones de madrugada los fines de semana.

Xacobe: Sí, ya sé cuál es. Creo que están dando un ciclo de cine clásico… Películas de Hitchcock, ¿os apetece?

Marta: Sí, una película y unos chocolates después de esa barbacoa… ¡sería genial!

Jordi: Mmm… sí.

Sandra: En un par de horas regresaremos a abrirles la puerta, ¿verdad?

Lucía: Sí, claro. Yo creo que es tiempo suficiente para que reflexionen… Así Pedro aprenderá a dejar de jugar con nosotros.

Vocabulario

yo no tengo sueño I'm not sleepy
la función de cine screening
la madrugada small hours
ciclo de cine clásico classic film screening

101. WHATSAPP DE LAURA

Participantes de la conversación: Laura, Pedro, y Martín . El chat se titula "Por favor, regresad".

"Laura ha añadido a Lucía"
"Laura ha añadido a Jordi"
"Laura ha añadido a Sandra"
"Laura ha añadido a Xacobe"
"Laura ha añadido a Marta"

Laura:
Vale, chicos, ¡¡regresad!! Porfa.

Pedro:
Os lo ruego, ¡regresad! Hace frío, tenemos sueño, no cabemos todos en el catre…

Lucas:
Por favor, ¿vais a regresar?

Martín:
Yo no sabía nada, lo juro, ¡¡solo hice lo que me pidió Pedro!!

Pedro:
¿Estáis ahí? ¿¿¿Hola???

Vocabulario

os lo ruego I beg you

FIN

THANKS FOR READING!

I hope you have enjoyed this book and that your language skills have improved as a result!

A lot of hard work went into creating this book, and if you would like to support me, the best way to do so would be to leave an honest review of the book on the store where you made your purchase.

Want to get in touch? I love hearing from readers. Reach out to me any time at *olly@storylearning.com*

To your success,

Olly Richards

MORE FROM OLLY

If you have enjoyed this book, you will love all the other free language learning content I publish each week on my blog and podcast: *StoryLearning*.

Blog: Study hacks and mind tools for independent language learners.

www.storylearning.com

Podcast: I answer your language learning questions twice a week on the podcast.

www.storylearning.com/itunes

YouTube: Videos, case studies, and language learning experiments.

https://www.youtube.com/ollyrichards

COURSES FROM OLLY RICHARDS

If you've enjoyed this book, you may be interested in Olly Richards' complete range of language courses, which employ his StoryLearning® method to help you reach fluency in your target language.

Critically acclaimed and popular among students, Olly's courses are available in multiple languages and for learners at different levels, from complete beginner to intermediate and advanced.

To find out more about these courses, follow the link below and select "Courses" from the menu bar:

https://storylearning.com/courses

"Olly's language-learning insights are right in line with the best of what we know from neuroscience and cognitive psychology about how to learn effectively. I love his work!"

Dr. Barbara Oakley,
Bestselling Author of "A Mind for Numbers"

CPSIA information can be obtained
at www.ICGtesting.com
Printed in the USA
LVHW110058141122
732905LV00003B/113